BETTER A GRIN NOR A GREET

by

IAN C. MIDDLETON

The Publisher gratefully acknowledges the assistance given
by Moray District Council in the publication of this book.

Many of the Songs and Poems in this book have been
broadcast on Radio Scotland and Local Radio.

*This book is dedicated to my wife,
Jean, for her unfailing support and
encouragement over the years*

Foreword

"Better a grin than nor a greet!"

Ay!

> WHAT IS THIS LIFE, IF FULL OF CARE,
> WE HAVE NO TIME TO STAND AND STARE.
>
> (W. H. Davies)

Ian Middleton has lang been a lad I hae admired. A tragic accident at work left him confined tae a wheelchair, and that for a fair puckle eers noo, bit fit an inspiration he is tae us a.

There's some fa think they cairry a the cares o the world on their shooders. Ye change the "grin" tae "girn" for them, bit for Ian there's aye a smile on his face and that fae the happiness and satisfaction he derives oot o givin pleasure tae ithers wi his writins and his recitin in his ain North-East tongue - the spikk o the country fowk.

He is the maister o the "Doric" and the bonnie birlin wirds bring the subject maitter tae life whither it be the nostalgia and fyles pathos o the wye things were or the licht relief fae such as "Auld Davy's Drawers" or "Egg On His Face".

Ye michtna greet - but the hairt strings will "tit" fyles. Mair nor at tho, the grin will turn inta a hairty lauch and contentment will reign as ye pick up the book at will.

As they say at the rural shows - Highly Commended!!

ROBBIE SHEPHERD

CONTENTS

Poems

Songs

POEMS

The Lang-Life Recipe

Fin Jocky's hundredth birthday cam, it caused a gye furore,
an the local press sent roon a man tae see an get the story,
he pumpit Jock for details o ees wark an startin wage,
an syne he socht the recipe for reachin sic an age.

"Oh, weel noo. That's a question that's been affin asked afore,
an if I've heard ae answer till't, I'll sweer I've heard a score,
foo some fowk live a lot o ears, an ithers live bit fyow,
ye'd been as weel t' speer, my loon, foo lang's a bit o tow!"

"It's affin said that fowk that smoke are on a sticky wicket,
an that the taakin o a bucket is the quickest wye t' kick it!
Nae doot that's true t' some extent, bit yet it cwid be queeriet,
teetotal fowk that's nivver smoked are daily bein beeriet!"

There's files I've heard it argued that the secret lies wi maet,
that life can be extendit jist b' watchin fit ye ait,
weel, ae wye or the tither, maet cwid weel be at the back o't,
for ye'll dee wi' ower muckle o't, as weel as wi the lack o't!"

"An syne, of coorse, there's fitness - some wid say it's best o a'
bit yet I've watched yon fitba lads, fin chasin at the ba,
the slightest tap, an doon they drap - half deed until attendit -
if yon's fit exercise can dee, I widna recommend it!"

There's some that sweer b' daily brose, an some b' plenty sleep,
an ithers that are sair t' thole - yon fowk that crack the wheep,
aye quick t' cry "Hard graft's the thing," tho their lifestyle's the reverse,
commandin fancy salaries, tho they're nivver aff their seat!"

"Ach, fowk hiv their ain opinion, loon, in the same wye I hiv mine,
o the recipe maist likely t' postpone yer hinnereyne,
bit I'll lat ye hae my secret, wi a steenwa guarantee,
my recipe for livin lang is simple - dinna dee!"

A Question O Mainners

Jock Stronach wis birslin, fair brunt tae the reets,
in a blooter o swyte fae ees croon till ess queets,
he wis a' fire't an fyaachy, an fabbit as weel
So he turned ees attention on foo tae get queel

He thocht o the beach, bit ach, twis ower far,
an he'd nae inclination for yokin the car,
syne he thocht till imsel "I cwid aye be a jeuk,
the dam, be it dubby, wid dee for a dook!"

There wis nithing tae hinner 'im - as far's he cwid tell
There wis naebody aboot bit the jeuks an imsel,
the option wis there gin he wintit tae tak it,
so he tirred aff ees claes an he loupit in nyaakit!

He came doon on ees stammick wi sic a like clyte
that he steered fae the boddim a cloud o jeuks droppings!
The watter wis freezin, ees braith gid awa,
an fin it came back it came oot wi an "Ah-a-a-ah!"

He got eased wi't come time, an wis sweer tae come oot
re-livin ees youth as he capert aboot,
he swam on ees belly, syne on til ees back
an spootert an splashed, an did a'thing bit quack!

Meg Mitchell, weel kent for inquisitive itch,
wis poo-in amon rasps ben the side o the ditch
that ran intae the dam far Jock he wis dookin
an she crawled throu the busses tae see fit wis cookin!

Jock b' this time wis oot, haein tired o ees fun
an wis lyin on ees guts drying aff in the sun,
fin a vice fae the busses cries "Furl or ye'll burn,
I can tell b' baith cheeks that yer deen till a turn!"

Jock jirked wi the fleg o't, an loupt till ees feet,
tryin sair tae get decent, an beat a retreat,
he grabbit ees bonnet wi commendable speed
an clappit it on far twid dee the maist gweed!

As he steed there, reed-faced, cross-leggit, an sullen,
ye'd hae heard the guffas o Meggie in Cullen,
an she howled at Jock fae the heid o the k-now
"Wid yer bonnet nae fit better up on yer pow?"

"A' richt than," cried Jock, "Ye've hane yer wee game,
I'm surprised at ye, umman, ye ocht tae think shame!
G'wa oot o that noo, an less o yer yap,
it's the hicht o ill-mainners tae stan there an gaap!"

Meg, determined at least that she'd hae the last say,
turned an shoutit at Jock fae the heid o the brae
"Yer ticht kine o manners yersel, come tae that,
for a gentleman, surely, wid hae liftit ees hat!"

It's A Sair Fecht

Ken iss, you eens? I'm feelin richt doon hairtit
it's true eneuch that the world's ill pairtit
For creation's planned - it's nae some fluke,
Yet ye ken fit I am? I'm a plook!
Bit gin I'd been born a cute wee dimple
an nae a putrifyin pimple
I widna been in this dilemma
for you eens wid a' been gled t' hae me!

Instead, I'm scorned and criticised
an universally despised,
I jist exist withoot a need
for fa wints a plook wi a yalla heid?
Whit a hairtbrak! An I'll aye regret it,
expecially far I've been locatit,
it's nae a place that I'd hae chose
fair on the side o a mannie's nose!

An ay fin he gyangs t'wash ees face
he inspects me in the lookin-gless
in holy terror that I'm thrivin!
I tell ye - I've some job survivin
for oh! The stuff at me he's scootit!
Nae winner half the world's pollutit!
Chemists clarts o a' description
Baith aff the shelf an on prescription!

At bedtime, fin ees lyin dozin
I'm files ass caal I'm gye-near frozin,
syne he'll hap ees heid, an intae snorin
till I'm near-han deef and close t' smorin!
My trouble's boredom, I suppose
for there eest t' be a squaddie o's,
the acne faimly, aicht or nine,
bit they a' met their hinnereyne!

Aye, twis a sad day that, an whit a slaughter
for the mannie he'd been on the batter
an he tried tae shave wi a shakkie han
an he wipit oot the hale damned clan!
I sa't, fae twa three inch awa
an files he near hid me an a'
I wis lucky t' get aff the hyeuk
so noo - I'm jist an orphan plook!

There's files I think I'd like a wife
for I'm scunnert o the single life,
wi a safer place t' settle doon
mairriet life cwid be a boon!
An I'm sure I'd nae hae lang t'wait
or a willing partner I wid get,
Though mairryin plooks are files gye scarce
this lad his een on ees elbow!

I mine the time I wis near hitched,
this passionate plook hid me bewitched,
we got engaged, an I managed t' coax er
t' set up hoose in this lad's oxter!
I wis fair besottit wi my fiance
till fate fair connicht oor romancie,
there's files I think I mun be cursed
for throu the nicht - she gid an burst!

Weel, weel, that's life, bit I dinna propose
t' spen a lifetime on this cheil's nose
I'd like a place far he canna scoot me -
atween ees shoother-blades wid suit me!
Bit here's me ramblin on again -
he rises aye atween nine and ten
t' wash an shave an gie's a squeeze -
Oh God! I hate fin he fichers wi's!

Beatin the Budget

Fin he heard that fuel an fusky were tae cost a gweed bit mair,
The Chancellor's announcement near drove Jocky t' despair,
he cursed the sheer injustice o't, an vowed twid be in vain,
he widna pey anither roost - na, na, he'd mak ees ain!

Ees craft wis in the ideal spot t' operate a still
for it lay in isolation in the middle o a hill,
an, aifter twa three weeks gid by, he'd a'thing bocht an stockit,
an hid weldit it thegither an wis ready t' get yokit

The shed wis foo o copper pipes that he'd camouflaged wi strae
an they wannert roon the riggin lik the road t' Mandalay,
As weel's a copper biler wi a fifty gallon girth
that Jocky nursed, wi eident care, t' sic times as she gid birth!

It wis hit or miss t' start wi, bit at length he got ees bearins
an come time he made a potent brew wi yeast an tattie parins,
As weel as maat an barley, Swaddish neeps an curly kale,
an ither queer concoctions that he keepit till imsel!

The yoam that circulatit hid a power beyond belief,
an a kirn o horny-gollachs keepit drappin fae the reef,
there wis forty-leggit jinnies, forkies, slaters an blue flees
as weel as nestin spurdies a' succumbed t' the disease!

The fumes hid nae effect on Jock, he seemed t' be immune,
so fin he tried a drammie o't, he didna wattert doon,
the kick o't wis eneugh t gar 'im tyne ees breath, an slivver,
an ees een stuck oot like ingins as it worriet at ees liver!

Jock realised he'd hit on something fit for mair nor drinkin,
an t' gain the full potential o't, he thumpit up the thinkin,
he ran a fyow experiments, an he came t' the deduction
that the promise shown weel justified an increase in production!

The aul green paraffin fordie, temperamental files t' yoke,
teen sic a likin t' the brew that she nivver nott the choke,
an the little start-o-matic, ca'in electric t' the hoose,
"Putt puttit" wi a lot mair pith fin caad wi Jocky's juice!

Twis as gweed as caustic soda fin it cam t' reddin drains,
it cwid pickle eggs an ingins, an wis gran for sinjin hens!
As a cure for flu or fitrot, it cwid readily lay claim
an at crucifyin docken reets wis equally at hame!

Its capacity for strippin paint or varnish wisna real
bit under strict control, or it teen plaisterboord as weel,
fin he steeped ees teeth ae nicht in't, they came oot lik driven sna
bit fin he tried t' weer them, they were twa sizes ower sma!

It shiftit roost fae hinges, an it did for dippin sheep,
it saffint corns an tae-nails fin he gid ees feet a steep,
he de-horned a Friesian stot wi't aifter gee'int twa three jugs,
an it hiccupped for a gweed half oor, an reek came fae its lugs!

Bit in spite o rinnin a'thing wi't, fae machinery t' coos,
the rate that he wis churnin't oot wis mair nor he cwid use,
an he seen amassed a stocky o't in jerry cans an drums
so he turned ees thochts t' commerce, an he did a twa three sums!

Wi some basic mathematics Jocky seen hid gotten't clear
fit he'd save on fuel on fusky fin twis coontit ower an ear,
gin he made a fyow enquiries, he cwid maybe sell a sup,
Aye! Things were looking rosie - syne peer Jocky waakint up!

Matrimonial Bliss

Fin it comes t' mairriet life an the takkin o a wife
There's some fowk live lik doos for ivver mair,
bit for fowkies lik mysel, mairriet life's a form o Hell,
so lat me tell ye a' aboot my dark despair

At wir coortin we wid hug, an she'd twitter in my lug,
bit the twitter wisna lang in weerin awa,
for I seen discovered Mary, far fae bein a canary,
hid turned oot instead t' be a cra!

She wid near mak twa o me, an ye'd tak er for a he,
fae er tammie t' the tackits in er beets!
An tho the hair upon er heid his been dyed a carrot-reed,
it's as black's the deevil's wyskit at the reets!

Altho she's bad eneuch fin cled, ye wint t' see er in er bed
fin she's coupit on er side t' face the wa,
in a lang fite flannel goon, fae er chin doon till er foon,
she's lik a hey-ruck wi a coverin o sna!

Fae the day we tied the k-not, I aye threepit doon er throat
foo I likit a' my puddin swack an thin,
bit it's aye as foo o lumps that ye'd sweer it hid the mumps
an smored aneth a flap o wizzint skin!

Fin it's birdies een or rice I've t' tak it b' the slice,
an er custard an creamola's jist as bad,
an the jeely that she maks is ass tyeuch it's tint the shaaks
an I'll sweer ye'd hardly mark it wi a spaad!

At wir local fancy dress, she wis anxious t' impress
so she hikit up er skirt abeen er knees,
an wi er muckle varicose veins, she wis rewardit for er pains
taakin first prize as a Gorgonzola cheese!

An whit a deem t' swick! I suppose she thinks I'm thick!
Tak er cheese-cakes, jist t' show ye fit I mean,
For oot-an-oot deceit, they'd be affa hard t' beat
for there's nae an unce o cheese in damn the een!

Ye'll be winnerin fit I sa in sic a formidable squaw,
weel, she tellt's that I wid shortly be a dad,
an I wytit ower an ear for the crater t' appear
afore I realised that I'd been had!

Ye see, as far as weemin go, my uptak's affa slow
an she'd a' the signs on which a pregnancy depends,
bit for thirty syvin weeks she'd stapped a bowster doon er breeks
an wore a bra twid held twa clockin hens!

Fin she nivver showed remorse I gid some thocht till a divorce,
bit fate decreed I should thole't an tyaave awa,
for twis jist the ither week that she hit a lucky streak
scoopin forty thoosin aff o Spot-the-Ba!

Noo, it's kent the world ower that siller his the power
t' sweeten even the rochest peel, or maet,
so noo, I compliment the cook, an fit winna cha, I sook!
an I aye mak sure I leave a nyaakit plate!

The Gale Warnin

If there's ae thing that gyangs up my back, it's a human bag o ween,
the kine that blaas aboot a'thing, ach! Ye'll ken the kine I mean,
the type that's nivver satisfied unless they get star billin,
an for a' therebody's ninepence worth, they aye mun hae the shillin!

Tak Meggie, for example. She enjoyed a gweed disease!
A' the things that connach health, she'd hane in varyin degrees,
far a normal kin o ailment wis eneuch for a' therebody,
Meggie's it wis aye severe, an fit tae coup a cuddy!

She'd sampled a' the common eens, lik chilbains an blin-lumps
an hid graduatit steadily fae measles throu tae mumps,
if I mentioned my bleed pressure, hers wis absolutely hotterin
an far I wis files licht-heidit, she wis positively stotterin!

Er tonsils, fin she got them oot, apparently were beezers,
an Meggie craad that their girth hid near defied the surgeon's tweezers,
fin the doctors flocked t' see them, their astonishment wis total
an they pickled them in vinegar, an stowed them in a bottle!

An, of coorse, fin geein birth, there's neen hid tholed as muckle's Meg,
bit she likened my confinement t' the layin o an egg!
Bit I jist ignored er clatter, an I lat er hae er say,
taakin comfort fae the knowledge that ivery doggie his its day

Weel, I gave it nae mair thocht bit, as coincidence wid hae't
we baith were thrown the gither b' a funny quirk o fate,
I jist hid gotten my appendix oot an wis convalescin fine,
fin Meggie lant, wi a girnin guts, in the bed richt next t' mine!

"Ae me," she moaned, "The stoons are jist gyan throu me lik a spear,
I think it's my appendix - an maist probably severe,
the smaaer eens lik you hid, they can hannil that eens fine,
bit they'll fairly hae their hans foo fin they come t' tackle mine!"

Weel, weel, bit I jist cocked my lugs fin the doctor he cam roon,
though the screens they blockit oot the view, they didna block the soon,
an I hears 'im sayin "There's nae much wrang, o that there's little doot,
it's a jobbie for an enema - a' ye need's a gweed clean oot!"

So a funnel it wis seen produced, wi a tube an soapy waater,
an it fairly punctured Meggie's pride fin the nursie she let at er,
I nearly burst my stitches, an I lached till I was sair,
as Meggie played a tune rale lik the Londonderry Air!

Bit we'd better draw a veil oot ower the next twa oors or so,
for the Ballahulish bagpipes fairly gart peer Meggie go,
so I'm ready for er next time she belittles me wi scorn,
I'll jist wink an say "Ca canny, Meg - noo, dinna toot yer horn!"

Teen Short

Fin the aulest quine mairriet a loon fae the isles
I wis a' set on fleein on accoont o the miles,
bit Jock widna hear o't, tho I kent ees ruse,
gin we gid b' the boat, he'd hae langer t' booze!

An that's jist fit happened - a boddimless thirst
so acht or nine fuskies a' chasin the first -
an come bedtime, the wammil in Jock's locomotion
hid nithing t' dee wi the swaal o the ocean!

Oh, it wisna the first time, an twid nae be the last,
bit I'd gweed cause t' mine its effects in the past,
a bellyfae aye hid disastrous results,
for it gave 'im the gallops, lik a gweed dose o sults!

Weel, we'd jist saittled doon for the nicht in wir hammick
fin a girnin sensation came intil ees staamick,
he'd a hotterin guts that refused t' gwa,
Twis the invoice o reed-roarin dia-hurra!

He wintit t' lie, bit I gart 'im jump
an he made for the loo wi ees back in a hump,
bit in spite o my rage, I began t' get feart
fin a gweed oor gid by an he'd nae re-appeart!

Weel, I sets aff t' fin 'im, fair dreedin each step,
I cwid weel be assaultit - aye! Possibly rape!
Syne sanity tellts that that *wis* stretchin't a bit,
for I'd baith sets o teeth oot, an on a hair-net!

At length, I cam on 'im, ees draaers at ees feet,
sittin cocked on the throne as if he'd teen reet,
I says "Fit are ye deein, min? Hiv ye jammed in the hole?"
"Oh, thank God yer here, quine. There's nae toilet roll!"

"Ach, for God's sake! An fit dae ye expect me t' dee, Jock?
A'body'll be beddit, for it's near twa oclock!
You an yer boozin. Ye'd gimme the pip,
Mak a kirk or a mull o't! I'm gyan back t' my kip!"

Jock, lang in the face, an gye short in the tit
shoutit "Rake in yer hanbag an see if there's a bit!
A receipt or an envelope, fit dis it maitter,
onything'll dee, bit the bigger the better!"

Weel, I didna ca lang, an wi limited success,
bit I nott a' my time t' keep a stracht face
fin Jock whispered urgently "Ony luck, Betty?"
An I threw 'im ees lifeline - a box o confetti!

He wis far fae amused fin he cam till ees bed,
an even next mornin gye little wis said,
bit we baith thocht we'd better lat sleepin dogs lie,
at least until aifter the weddin wis by!

That nicht, weerin on t' the eyne o the baal,
Jock got newsin wi the mannie that redd-up the haal,
an he asked 'im foo lang it wid tak 'im t' dee't
wi the sotter o trash lyin aneth ivery seat

"Och, that crisp bags an tabbies'll nae hud me lang,
wi a broad-heidit brush Lord! Ye canna gyang wrang,
bit that damned confetti'll nae clean wi a dicht,"
an Jock, mair nor maist, kent the mannie wis richt!

Jock Gets a Springclean

At the fairmtoon o Sharnydubs
There vrocht a chiel caaed Jocky Stubbs,
He wis five fit sax, wi twa three chins
an a belly half-wye till ees shins

Ees mainners they were non-existant,
an ees appetite ye wid ca persistant,
for, lik a dyeuk, he nivver dalliet
far ithers chaaed, Jock he jist swalliet!

Nae maitter fit the kyne o maet
nor yet the size or depth o plate,
lang or ither fowks' wis bare
Jock he wis raxin tee for mair!

He'd gie a cha an syne a rift
an slabber as he tried t' shift
eneuch o maet for fower fowk
the like o fit wid gart ye cowk!

Files, fin some young Cotter loon
wid hud ees pyoke o sweeties roon
Jock wid say "They're unca sma
bit nivver mine, I'll jist hae twa!"

Fin tellt "Eneuch's as gweed's a feast",
he wisna bathert in the least,
for Jock jist answered wi the crack
"It's the belly that huds up the back!"

Noo, twis nae surprise wi sic an ait
that constipation wis ees fate,
an he foonert files for days on eyne
or sults wid pit 'im oot o pine!

So the men a' saittled on a plan
t' gie aul Stubbies' bools a han
an gie the glutton sic a dose
he micht hud less aneth ees nose!

So in they gid t' the droggist lad
an bocht a muckle chocolate daad,
twa squars it said wid work a cure
bit they'd gie 'im acht an be double sure!

On Saiterday mornin they didna need
t' hinner lang wi Stubbies' greed
for aye they urged "Hae anither een, Jock,"
an he'd swalliet the lot b' nine oclock!

They gid a smirk fin throu the yokin
Stubbies hakit for a dockin,
syne dannert aff rale urgent like
t' disappear ahin a dyke!

Fin the men a' lowsed at twal oclock
the only sign they'd seen o Jock
wis a hint that things were far fae richt
as ees heid aye sunk back oot o sicht!

On Tuesday, they were in the stable
fin Jocky's wife cam roon the gable
t' tell them o the past weekeyne
fin Jock near met ees hinnereyne!

"It wis twa oclock fin in he stumbles
an ees stammick geein some affa rummles,
I set ees denner on the table
bit na! Peer deevil wisna able!

(continued over)

That nicht, we werena meenits beddit
fin he raise an ben the hoose paradit,
there wis nae improvement a' day Sunday
nor a' that nicht nor weel throu Monday!

Peer brute! He's gotten an affa shack
for he widna ait, nae even a snack!
He wis feart t' hoast as weel as sneeze
an ees breeks ay trailin ower ees knees!

It's something he's aitin, Jock supposes,
but I hae my ain diagnosis,"
an the men they cwidna help bit titter
fin she says "I think he his the Flu!"

Teethache

Fin Jock ae Saiterday aifterneen
wis saain a puckle baaks wi Jean
a double teeth awa at the back
began t' gie an ominous crack!

At first, twis only noo-in-an
bit gradually it got oot o han
as ae stoon followin the tither
amalgamatit wi een anither!

Tho Jean he nivver thocht t' tell
or lang, she twiggit till't ersel,
for the crosscut sa got sic a yarkin
the teeth o er wis gye near sparkin!

"Ca canny Jock, min. Fit's adee?",
"For God's sake, umman, can't ye see?
This teethache's dirlin t' my feet,
In fact, I'm damnt near cripple wi't!"

Says Jean "Gyang in an try some toddy,"
an in nae time, Jock hid made a roadie
atween the fireside an the press
gyan back an fore t' full ees gless!

Fin a pint o fusky he hid doont
the teeth gid deed - twis probably droont!
Bit, fitivver be the reason for't
the hale fore-nicht Jock lay an snore't!

Bit throu the nicht, Jean heard 'im rummlin
an in the press for toddy fummlin,
he sookit at it a' day Sunday
desperate for the cure on Monday!

(continued overleaf)

Fin Monday cam, a haggart Jock
wis wytin lang or nine oclock,
bit it seemed he wis doomed t' disappintment
fin tell't that a'body nott an appintment!

At this, peer Jocky, gye near past it
cam affa close tae blaain a gaskit,
an he left the lassie in little doot
that there he'd bide till the tusk wis oot!

Says he "Noo, half a meenit, quine,
I've suffert this the hale weekeyne,
the yarkin o't's been diabolic
an I'm bloody near an alcoholic"

So awa an dinna try my patience
wi a' yer rules an regulations,
I'm nae for ony haa'in an hummin
for it's needin oot, an oot it's comin!

So in the interests o humanity
an t' salvage Jocky's sanity
the lassie got the dentist till 'im
t' see gin he cwid cure or kill 'im!

Fin the dentist sa that he'd been drinkin
he says "I canna pull't, I'm thinkin
unless I pit ye oot o pine
withoot a jab o ony kine!"

Says Jock "Jist dee fitivver's nott,
wi ony remedy ye've got,
jist hud a pair o pliers gyan
an I'll hud on as weel's I can!

Fin the dentist mannie startit pullin
ye'd hae heard the howls o Jock in Cullen,
wi ees doup twa fit abeen the seat
afore the jobbie wis complete!

Fin he sa the cause o a' the yarkin
Jocky cwidna help remarkin
"Nae winner the stoons were something shockin
It's a set o reets on't lik a docken!"

He dichtit the waater fae ees een
an wi pink stuff gid ees moo a clean
syne, apologisin t' the quine
set aff for hame, a different kine!

The Skweel Sports

"Come along now, children, for we want to make a start,
winning's not important, it's the joy of taking part!"
Miss Campbell, lookin shapely in a pair o navy shorts
wis stampin er authority on wir annual simmer sports

We'd the barra-race for starters, an we a' got partnered aff,
bit we cwidna pick wir ain een, it wis deen on oor behalf,
an fin she pickit my een, it gart a'therebody smirk
for Ina wis my partner, an she wis biggit lik a stirk!

Despite my lack o inches, an my shoothers bein narra
big Ina widna hear o't bit fit she wid be the barra,
wi er feet aneth my oxter, an the grun sae near er moo
she'd a mair nor passin likeness t' a double -furra ploo!

We startit wi a splatter, Ina quiverin lik a pup,
my leggies they were wammlin, I cwid hardly hud er up,
an we'd only geen a yaird or twa fin we hit a major snag,
I cwidna stan the strain fin Ina's back began t' sag!

We baith gave up the ghoster fin she said I cwidna row
an wir race wis terminatit fin she flappit half-wye throu,
bit altho we baith cam hinmaist, she dismissed it wi a shrug,
for nithing bathert Ina, she jist grinned fae lug t' lug!

The three-legged race wis next, a race that nott a weel-matched pair,
bit again we baith were partnered aff - a recipe for despair,
I wis tethered b' my spinnle tram t' Ina' s beefy shank,
an it seen becam apparent she'd a tiger in er tank!

The flag gid up an aff we set, big Ina geein's a yark.
I wis hingin on as weel's I cwid till a niv-fae o er sark,
it wis obvious fae the ootset that I'd nivver match her spang,
my leggies they were ower short an Ina's ower lang!

Tho my feet they did files touch the grun, they were oot o my control,
an the twa o's must hae lookit lik a Clydesdale and its foal,
I tried in vain t' match er stride so's I widna look a neep
bit wir legs got in a raivil an we rummilt in a heap!

At a'thing else the twa o's tried, the ootcome wis the same,
we'd eneuch adee t' feenish an wid been as weel at hame,
bit Ina, wi er hairst-meen face, jist grinned an sodjert on,
Oh boy! Wis I hairt seek o bein partnered aff wi yon!

Bit that wis forty ear syne, tho it feels jist lik the streen
twis something that my gransin said that brocht back the skweelday scene,
he wis tellin's he's ees sports the morn - an here I hid t' smirk,
says he "I'm nae needin yon quine Clark - she's biggit lik a stirk!"

An Ina? Lord, she's deeing gran - I sees er ivery day,
she's still a muckle sonsy deem wi hair noo turnin grey,
she's mairriet, wi a faimly - aye, lik me, she's paired for life,
an er man thinks she's a topper, an he wid ken - for she's my wife!

Hame Truths

A country-skweel teacher decided ae day
t' help the Scots language t' thrive
b' geein the bairns lessons int, noo-an-again,
in an effort t' keep it alive
"Mak up a wee poem," she says. "Onything ye like - be it local
or something historic -
ye can a' please yersels, write fitivver ye wint, jist as lang
as ye deet in the Doric!"
Weel, the bairns they respondit in glorious style,
an the teacher wis affa impressed,
she wilet twa-three oot that were specially gweed,
an awardit a prize t' the best,
bit she seen realised she'd been teen at her word,
an fa else bit ersel wis t' blame?
For some hid pleased theirsels, jist as she hid advised,
an here's a wee sample o them!

Favourite Maet

Caul tongue for my supper's a favourite o mine
bit my brither refuses t' ait it,
"An tak it fae me," he says, "You'd dra the line
gin ye stoppit t' think far they get it.
Oh, mak nae mistak, I like a bit coo
fae its back, or its ribs or its legs,
bit I cwidna ait beef that cam oot o its moo,
na, na, loon! I'm stickin t' eggs!"

Slimmin

My father tried t' lose some waicht - he's gye near syventeen steen!
An he thocht that a' he hid t' dee wis work a smaaer speen!
Bit ees belly didna budge an inch, it's hingin ower ees belt,
for ees intak nivver altered neen - he jist teen langer tillt!

The Wither

The fairmers wint their hey baled, an are prayin for fine dry wither,
bit the kine that <u>I've</u> been prayin for is different athegither,
for the burnie's affa low jist noo, an I'm fair daft on fishin
an ivery mornin fin I rise, I'm prayin that it's poorin!

Oor Ludger

We've a ludger we ca feartie - he's an affa timid male,
he'll hae t' try an pull imsel thegither,
the reason he's caad feartie is, he's feart t' sleep imsel
an that's fit wye he sleeps aye wi my mither!

Sledgin

Last ear, fin we went sledgin on a laither doon the brae,
ye'd hae heard my mither skirlin near as far as Cruden Bay!
We thocht she wis enjoyin ersel, an skirlin wi the fun,
bit er rump hid slippit throu the rungs, an wis skurrin on the grun!

My Sister's Cookin

I've an auler sister, an she wints t' be a cook
an my mither lats er practise things that's in er cookery byeuk,
she made some clart the tither day that tastit affa bitter,
bit I dinna think she made it richt, caus a'body got a sair guts!

My Granny

My Granny's t' rise twa three times throu the nicht
on accoont o a wike kin o blether,
an the dirl that she maks is at sic a like hicht
that we're a' at the eyne o wir tether,
bit my mither's come up wi a nae bad solution
that's likely t' quaeten things doon,
she's lined granny's chanty t' act as a cushion
in the hope it'll saffin the soon!

Granda

Granda aye taks a pew near the door o the kirk
an ae day the minister cam in
an he says "Gin ye shiftit awa fae the draft
ye wid nae be sae bathert wi win."
"Oh, it's nae the draft," says my Granda, "It's pandrops that dis't,
bit I jist sit an thole't or I'm oot,
syne, fin weel doon the road, an wi naebody aboot
I lat oot a gweed toot on my flute!

Snorin

The snores o my father wid waakin the deid
an my mither's tried cures o a' kines,
she tried haulin the blankets richt up ower er heid
an discovered he snores at baith eynes!

A Safe Bet

My uncle backs horses, day in an day oot,
bit my father dis nithing sae rash,
He prefers caster-ile, cause he says there's nae doot
that he'll aye get a run for ees cash!

The Conversation

On a bus gyan t' Huntly, ae Saiterday nicht,
Twa wifies sat yabblin awa,
wi athing they uttered, at sic a lik hicht,
that I cwidna dee bit hear't a',
they covered near athing, fae vynol t' vandals
t' foo muckle it cost t' get cled,
syne, wi obvious relish, the news turned t' scandals,
an here's fit the twa o them said:

Jean: "Jess Mitchell she's bocht a new washer, they tells
the latest in fancy front loaders,
I sa er last week at yon single-day sales
buyin the poother that conquers the odours!
Sax packets she hid, economy size,
that's a fact - I wis there fin she got it,
wi a kirn o't lik yon, I cwid only surmise
that the hum wis as bad as she nott it!"

Bette: "Fit! She nott it, aricht. There's nae doot o that!
She wis aye a fool, throu-ither crater,
allergic t' waater, an lirkit wi fat,
Lord! I nivver sa Jess ony better!
I mine eence in seein er doon for a dook
in a roaster o achty degrees,
she wis lyin gettin brunt in a lythe-kin-a neuk
an attractin a swaarm o blue flees!

She'd a bottlie o lotion she kept rubbin on
ower er legs - tho the baith o them were tartan -
an I'll sweer, Jean, ye nivver sa tae-nails lik yon
on onything ootside o a partan!
Bit the best o't wis, me! Thinkin "Lord, she's richt broon,"
till the swite it startit t' rin,
syne ye sa ivery dreel far the dribbles ran doon
leavin pink roadies a' ower er skin!

Noo Jean, I'll get intae a kirn wi the best,
fit ye micht ca a clean raivil,
bit I sweer that a Blackie cwidda biggit a nest
wi the oo in the howe o er navel!
An the dookers she'd on! They were acht sizes ower sma!
There wis barely an inch o er happit,
Saxteen steen'll nae gyang in a pyoke that huds twa,
nae maitter foo muckle ye stap it!
An er hoose, Jean! I wis jist the eence in ower er door,
an in my time, I've been in o a fyow,
bit nivver in a midden lik yon een afore,
ye cwidda scraapit the dirt wi a hyow!
Noo Jean, I'm nae notin for cairryin a tale,
ye ken that's nae een o my faats,
bit files I cowk yet fin I think o the smell
fae the clorich o fool hippens an cats!

Pause, then:

Oh, an y'll ken the quine Duguid's expectin again?
Nae that that's onything new!
The eens that she hiz are t five different men!
She'll seen be upsides wi a soo!
Bit hide it? Not her! I sees er near daily
weerin claes ass ticht that she's hankit,
there's nae attempt yonner at hidin er belly,
It's mair lik she's sayin "God-b'thankit!"

Man mad, the hale faimily, there's nae doot aboot it!
It's something that rins in the bleed,
Tam-cat morality - ye canna dispute it,
There's nithing bit sex in their heid!
My views on that are weel kent in the toon!
Aricht! I'm maybe aul-fashent,
bit the wint o't has nivver put me up nor doon!
An gin I hid my wye, I'd hae't rationed!"

(continued over)

Jean: "Lack o guidance, Bette. That's fit's adee wi the quine,
She nivver hid muckle o a chance,
it cwidna been easy, the aulest o nine,
an the mither aye awa t' a dance!
She'd deen nithing bit babysit, nicht aifter nicht,
an aye wi anither een due,
for er mither wis rale lik the road ower the Lecht -
guaranteed ilka ear t' bla foo!
She eence wis a looker - as gweed as ye'd see -
a beauty queen, twa three times ower,
bit ye'd nae tak er noo t' be ages wi me,
she's mair lik syvinty than gyan fifty fower!
Aye! She's peyin the price for er lack o restraint,
she's caaed a' oot o shape lik a pilla!
She'll nae beery yon wrinkles wi poother an paint,
yon wid even defy Pollyfilla!"

Bette: The second quine, Nan - she's awa fae er man,
an she's hame bidin in wi the mither,
they say she hid mair nor a body cwid stan,
if it wisna ae faat, twis anither!
There's a lot t' be said, Jean, for spinsters lik us,
fitivver the mairriet eens say!
Nan wis aye harpin on at's, foo we've missed the bus,
she'll be wishin that she hid, the day!

He drinks lik a camel - day in an day oot,
nae winner the mairrage wis doomed!
An forbye, there's the rumour that's fusslin aboot
that the mairrage wis nivver consumed!"

Jean: "Consumed, quine? I'm nae sure that I understan,
ye'll need t' explain't t'me, Bette!"

Bette: "Weel, I'm nae sure mysel, bit I raither think Nan
wis gye middlin at maakin the maet!
Ye see, it's a soleecitor's term, an I tak it t' mean
that er man cwidna ait fit she cookit,
an that wid be nae great surprise t me, Jean
for aifter-n-a' she's a Duguid!
It's weel eneuch kent that the roadie throu life
can be riddilt wi pot-holes an ruts,
an my mither aye said, fin a man taks a wife
she aye mun tak gweed care o ees guts!
So, taakin't a' ower, there wis faats wi them baith -
He drank, an her mait wisna gweed!
Bit Nan, she's been sayin - an I hae't in gweed faith -
twis ees impotence that teen't t' a heid!"

Jean: "Jist typical, Bette! Oh, I ken that wi yon drunken sod
she hidna er sorras t' seek,
bit, damn it, tho quine - she surely t' God
Cwid'a jist tyaaved awa wi ees cheek!"

The Awkward Ailment

For lang Dod he hid fancied Kate
an noo, at last, he hid a date,
on Friday nicht, at half past six
Dod he wis takkin er t' the flicks!

Bit throu the week, fate teen a han
an it lookit gin ees hopes were blaan,
peer Doddie, he wis far fae shootit
fin on ees rump a bile it sprootit!

Noo, better hid he lattin't be
bit that, t' Doddie, widna dee,
he wis mangin jist t' gee't a squeezy
tho gettin at it wisna easy!

He powkit at it wi a preen
an brocht the waater till ees een,
syne doctored at it for a file
wi clarts o zinc an caster ile!

Bit it wisna richt come till a heid
an ficherin wi't did little gweed,
so, short o lattin the doctor lance er
a poultice seemed the only answer!

Bit whit a kyaave fin pitten't on,
he'd nivver tried the likes o yon,
near ivery time he hid a shot
ees neck grew sair an he missed the spot!

So raither than persist b' guess
he cockit it t' the lookin-gless,
bit twistin roon wi daads o lint
near left 'im wi a permanent squint!

Fin Friday cam twis nae much better
despite aye tryin't a thochtie haitter,
so he swappit ower fae lint t' loaf
in the hope that he'd be better off!

That nicht, afore he gid for Kate
he put on a fyang o't, pipin haet,
an aff he gid wi ees poulticed rump
gye conscious o the rear-eyne lump!

Gyan ben the road, he vrocht ees legs
as if he wis widin amon eggs,
an ees face gid reed fin Kate she said
"Yer walkin affa pirn-taed!"

He tellt er that ees feet were sair
an hopit that she's say nae mair,
bit a wee loon stannin in the queue
cried "Dad! That mannie's hippen's foo!"

Dod turned an gin the loon a glower
an wished that he cwid coup 'im ower
an hud it on in sic a style
twid marra ony festerin bile!

At length, fin baith were sittin doon
an Dod hid slipped ees airm roon,
the bile it startit gie 'in 'im jip
so he cowpit on t' the tither hip!

Feelin spurned, Kate wisna slow
in speerin gin she hid B.O.
bit Dod, as quick, said nithing ailed er
an in the dark, he sat an tellt er!

(continued over)

Kate roared an looch, an raas o faces
swivilt as they swappit places,
syne the wye they listit, baith the twa
ye'd hae thocht Kate she'd a bile an a'!

Fin doon the toon the followin day
Dod nipped in-by the bakery,
an ees face it seen hid turned reed
for Kate wis dishin up the breid.

Still pirn-taed, he socht a loaf
an Kate, she didna lat 'im off,
er een gave ees rump a gweed ower-gyan
or she speert, wi a grin, "Is't plain or pan?"

The Neep

I wis sittin dozin at the fire, fin the car drew in-aboot,
a flashy fower-door Fordie wi a wifie lookin oot,
she tip-taed throu the dubs an gave the front-door bell a powk
an fin I gid t' answer't I discovered Bella Gowk!

Noo, t' pit ye in the picter, Jocky Gowk hid eence been fee'd
an cottert as the orraman at the fairm o Hungry-Heid,
An Bell an him, wi Dod their loon, fin oot files for a jant
wid ca in-by t' hae a news, an we seen got some acquaint

Bit syne ae Saiterday mornin, near the hinnereyne o June,
they packit a' their gibbles an flittit t' the toon,
an noo, some fower ear ahin't, here wis Bella at my door,
bit an affa different wifie fae the een I'd kent afore

She wis paintit lik a common tart, an riggit lik a toff,
an she'd tint the tongue she'd left wi an wis speakin a' pan-loaf!
Fin she lanched er lang delivery, I jist sat an lat er spout,
wi a kyaave t' keep my face stracht, for she keepit falling throu't!

"John he's in construction work, and he's deeing awful weel,
and little George has flourished since he jined the bigger skweel!"
Thinks I, it must be something in the air doon at the coast
for the loon hid aye been gypit, an as thick's a strainer post!

"On winter nichts I play at Bridge with this nice banker chap,"
(bit I hae't on gweed authority she'd get raivilt playin Snap!)
"I've jined the ballroom dancing," (Yet, at the Rural, fine I ken
she nott an oor's instruction for 'the fairmer's in ees den!)

"I potter in the garding on a Sunday afterneen
and I'm up to showing standard - an the trophies that I've teen!
I was plagued at first by dockings with the most enormous routs,
but now I'm taaking athing with my unyings and my sprouts!

"I've a great belief in nurturing the soil with good manure
and my cultivated midding ensures a steady stoor."
I felt lik sayin "Ca canny," an restrainin er delight
for, atween er midden an er moo, I wis ower the knees in muck!

"Now, don't bather maaking tea," she says, I'll hae to be hudding hame,
it's just an hour since I had lunch, but thank ye a' the same,
besides, I'm on a diet - I've already lost fower pounds -
I would swear by birdies eenies every day with plenty prouns!

Weel, if she sat an yaapit ae oor, I'll sweer she yappit three
afore she says "I must be gyan for maaking hubby's tea."
It wis then the thocht gid throu my heid as she drove aff throu the closs,
it's true eneuch - the biggest neep's aye mair nor affin boss!

'X' Marks the Spot

Since I wis a bairn I've been backward t' learn,
I think it a' stemmed fae my birth,
for the day I wis born, they nott a shee-horn,
it wis a'on accoont o my girth!
I've affin been tellt the twal pun that I scalet
gave the howdie a hell o a job,
an wi the result, the wye that she pullt
left me syvenpence short o the bob!

A' throu the skweel I wis labelled a feel
an or lang, I believed it mysel,
farivver I gid or fitivver I did
it seemed I wis destined t' fail.
Fin the time cam t' leave an the byeuks got the heave
I wisna thocht much o a loss,
still thick in the heid, barely able tae read
an signin my name wi a cross!

The news got aroon, it wis a' ower the toon
that I lackit the gumption t' write,
an my by-name wis 'X' - t this day it still sticks
as an aul souvenir o their spite,
tho daily they raggit an niggled an naggit
I teen a' their snash wi a grin,
for I weel unnersteed that I hidna the heid
t' be onything else bit ahin!

Nae job ivver laistit tho sair I protestit
my need t' get richt saittled in,
I wis shuntit aroon an sair hudden doon,
aye, an mony times soaked t' the skin.
Fitivver the wark I hid aye a haet sark
an the clartiest eyne o the stick,
bit I'd jist t' fa tee - fit else cwid I dee? -
For twis weel recognised I wis thick!

I tired o their tantin, their ravin an rantin,
ower the ears it got steadily waar,
for in wid or in still, or at peats on the hill
I wis aye made the butt o their baar.
They a' got their kicks b' bawlin "Hey 'X',
ee should been droont as a pup,
is yer heid aye as boss, div ye still use a cross
bein deed fae the ankles richt up?"

Bit ae day as they sneered, an snichert an jeered,
I jist lat them rant on for a file,
I hid something t' say, bit I thocht I'd delay
syne, by God! I wid gie them't in style.
I threw doon my shuffle an hauled on my duffle
as a'body steed in a daze,
an thinkin nae doot that I'd seen get the boot,
so I turned t' them a' an I says:

"For as lang's I can mine I've geen ye full rine
an ye've nivver been backward in taakin't,
ye can a' read an write, bit yer blin t' the plight
o the fowk lik mysel that are lackin't
Aye, I still use a cross, bit I'm noo my ain boss
an I'm finally aheid o ye a',
ye see, it's you that's the fools, for I've been deein the Pools
an I've acht crosses - a' in ae ra!"

Egg On Ees Face

It wisna that Wullie wis lazy - he jist hid been born affa tired
an tho files he'd a casual jobbie, it wis seldom he ivver wis hired,
he bade b' imsel in a hovel at the lythe side o aul Fitie's Wid,
relyin on ees wits for existance, for ees wits were near a' that he hid!

He'd a runt o a pig for ees orrals, an a smarrach o blae-heidit hens
an foo they survived on their diet there's naebody bit Wullie that kens!
Bit, atween baith ees pig an ees poultry, an a poun or twa aff o the broo
he'd eneuch aye t' hud things thegither, an aye at weekeynes t' get foo!

Surplus eggs he aye sellt t' the grocer fin buyin ees eerins aff the van,
an, bein free-range, they were popular, wi supply faain short o demand,
twis a sure twa-three bob throu the Simmer, wi files ower twa dizzen a day
bit an affa like wint in the Winter fin aye they gid richt aff the lay!

Noo, instead o adjustin ees ootlay b' poorin less ower ees throat
Wullie watched for a wye o subsidisin the een or twa eggs that he got,
an come time, he jaloosed that aul Fitie's laid weel in the Winter an a'
for Fitie hid his eens deep-littert - twa hunner that nivver sa sna!

The answer, t' Wullie, wis simple, an een that he cwidna resist,
Fitie's layin-machines were the answer - a dizzen eggs wid hardly be missed!
The shed door it nivver wis lockit, an the shed wis weel oot in the park,
the jobbie wid hud 'im five meenits, an he'd nivver be seen in the dark!

Weel, the ploy workit fine for a filie, satisfyin ees immediate need,
bit Wullie, lik ithers afore 'im, fell victim t' thief's disease - greed!
It appeared that aul Fitie wis ignorant o the dizzen a day teen awa,
wid the crater be ony the wiser gin the plunder wis uppit t' twa?

Fin Fitie suspectit the ongyang - for, come time, it got a' oot o han -
he enlistit the help o the bobbies t' see an come up wi a plan,
an eventually, a scheme wis concoctit that wis simple as weel's waaterticht,
so a' that wis nott wis made ready for settin't in motion that nicht!

Neist mornin, as Wullie wis riggin, twa bobbies appeared on the scene,
he felt jist a touchy uneasy, yet he cwidna see foo he'd be teen,
bit ees confidence seen teen a tummle, an he felt a bit weak at the legs
fin they baith steppit in-ower the door an speert gin he'd ony fresh eggs!

Wullie decided t' bluff ees wye oot o't, as he held ower the eggs wi a grin,
"There ye are than," says she, "That's twa dizzen - I'm jist new deen fessin the in,"
He wis prood o ees nerve an composure, bit twisna ower lang gin twis spile't
for the La knocked the heids aff the eggs - an ivery damnt een wis hard bile't

The Twa Budgies

At a bird show, perched upon their pews
twa budgies hid a lengthy news,
an if their language hid been kent
then maybe this is foo it went :

"Ae me! I'm fair forfochen wi frustration,
this bird show's jist an education
for whit a show o shapely hurdies!
Of coorse, I nivver sees damn-aal bit spurdies!
It's my first bird show since I wis hatched
an I've nivver seen the like t' match't,
ye see, I bides up at Tamintoul
an up there, I hardly sees a soul!"

"Och, bit I've sampled umpteen shows afore,
My names Jocky, fae Kintore,
bit I will admit the talent here's
the best I've seen for mony an ear!
I ken frustration's files a sook
bit yer trochie's foo, so hae a dook!
I sees ae henny that wid leave ye weak -
that een wi lipstick on er beak!"

"Ye ken, Jock, I'm peeved at comin third,
especially ahin that stuck-up bird,
It's eneuch t' ca ye roon the twist,
in fact, I feels lik gettin plaistert!
An yon judgie lad wis affa roch
for he coupit me ower t see each hoch,
ye wid affa near ca yon perverse
for he even lookit up my pedigree!"

"Oh, I ken. There's nae decorum,
he's jist lik a' the eens afore 'im,
bit at least ee must be fair o face,
I nivver even got a place.
In fact, I'm gettin a' vrocht up!
For the mannie thocht he'd lift a cup,
an fine div I ken fit's at stake
for he's threatened afore t' rax my neck!"

"Ach, awa an dinna fash yersel
for only livin birds'll sell,
so jist ee get wire't intae yer seed
for yer nae damnt ees fin eence yer deid!
Onywye, foo div ee get on at hame,
oor conversation's aye the same,
a monotonous "Far's my little loonie, Joey,"
an "Far's my pretty little boy!"

"Oh well, I winna tell a lee,
I files get t' watch TV,
bit the nicht o Dallas, Lord! Look oot!
Ae chirp, an I'm happit wi a cloot!
Bit my favourite programme's "World Aboot's",
I think it's puttin on t' suit's
for files on yon Australian stations
I sees a flocky o relations!"

"We've nae TV, we've jist a tranny,
a handit-doon een fae ees Granny,
Dallas? Lord, nae even close!
Jist Robbie Shepherd an Andy Ross!
In fact, the mannie's ass damnt ticht
we've aye a tilly-lamp for licht,
an ye ken fit he caa's a modern sonnet?
The words t' "The Toorie on ees Bonnet!"

"Wheesht! Here comes aul girny face,
I'll stick my chest oot jist in case
if I look my best, he'll shift ees grudge
an tak ees spite oot on the judge!
Bit mine, if yer ivver doon my wye
be sure t' gee's a shout in-by,
an if iver I'm in Tamintoul
I'll likewise jist gie you a howl!"

"Fair eneuch Jock, an hisht ye back
for man, I've fair enjoyed wir crack,
I hope I sees ye next ear, Jocky,
for I'll be a full-groun budgie cocky!
Hey! Wid ye look at that afore ye gyang,
I feels lik burstin intae sang,
for that paintit tart gave's a sultry look,
Oh boy! I need anither dook!

The Twa Budgies' Second Meetin

"Hello there, Jock. Ye've gotten back?
It's an ear the day since we'd a crack,
I'm gled t' see yer neck's aye hale
for man! I've sic a lot t' tell!
My bachelor days are a' ahin's,
I'm mairriet noo, an I've fathert quins!
For I got a henny in my stockin
an a fortnicht aifter? - She wis clockin!"

"Hud on, hud on, min. Gee's a chance,
Fit's a' this aboot romance?
Mairriet? Wi chuckins? It wid gar ye pyuke!
Fit wye did ye nae jist hae a dook?
Yer nae lang by the nappie stage,
an fit aboot hoosin? - is't a cooncil cage?
Fit on earth gart ye start t' flirt?
It wisna love, an a' that dirt?"

"Weel, in Tamintoul, it's very rarely
that ony o's is beddit early,
bit on Christmas Eve we usually dis
an in the mornin - there she wis!
Bit love? - Well no, nae a'thegither,
we're mair jist company for een anither,
an wi tilly lamp an nae TV
I suppose we've damn-aal else t' dee!"

"Huh! There's nae 'supposes', 'ifs', or 'buts'
it's the same fin there's ony power-cuts,
it aye gis rise t' a' this capers,
I read aboot it in the papers!
An it's a' supposed t' be for heat,
that's fit wye they say they dee't
bit Lord! If that's there only goal
foo nae jist hud on the coal?"

"Oh weel, I suppose that cwid be true,
bit eneuch aboot me - fit aboot you?
Yer surely pittin on the beef
an that's the quickest wye t' grief!
Fin the vet wis roon the tither day
I noticed fin he teen ees tay
nae milk, nor sugar or fancy tairt,
he says they gie ye a fatty hairt!"

"Ach awa! I'm jist twa ounce,
an still as foo o beans an bounce,
in fact, ye ken for my fower inch hicht
my waicht wid affa near be richt.
Bit you're an unca lookin crater!
Ye'll be tellin's next yer a picky aiter
fin fine I ken it's nae yer moo
bit that hen that's taakin the gweed o you!"

"Ach, awa an preen yer feathers
that's jist a lot o blaithers,
matrimony dis mair gweed
than ony packety o seed!
An here's you! Gyan on for sax-yer-aul
it's high time ee wis haein a baal!
If ye dinna gie the quines a chasey
they'll change yer name fae Jock t' Jessie!"

"Na, na! I'm fine the wye I am
I'm nae cut oot for caa'in a pram,
I've seen the antics a' afore
on late-nicht films on Channel Four!
I far prefers the single life,
an onywye, I've nae hoose for a wife,
so even if I did get hookit
A doo's nae ees withoot a dookit!"

"Weel, bit we're a' entitled t wir views
that gyangs for budgies and for doos,
an breedin's pairt o nater's plans,
Hey! Maybe eev got wonky glans!
Bit for ony sake, we'll nae fa oot
or we'll baith get happit wi a cloot!
If we're t' show wirsels in style
we'll need t' hud wir tongues a file!"

A Taste O Honey

Thocht McPherson ae nicht "Damnt, the maet's gettin ticht
an there's still a fyow days or I'm peyed,"
It wisna great dale bein bothied imsel
an the siller files nae gweed t' guide!
The ootlook wis bleak - twis the same ivery week -
bit he wisna unduly concerned,
gin there surely were wyes t' eke oot the supplies
they were wyes that wid hae t' be learned!

This last filey-back, he'd lived on hard-tack,
bit ach! He aye seemed t' get by,
for, fin mains wis fae hame, ees hens were fair game,
as weel's a fyow eggs on the sly!
Bit he'd aye hane a greed for spreadin ees breid
wi honey t' make it slide doon,
as this nicht he felt sure, he'd a ready-made cure
nae a steen's-throw awa fae the toon!

Jist ower at the tap o the shifty o crap
in the wid at the heid o the ley,
in a clumpie o trees, fower hivies o bees
hid been left since the first week o Mey.
Wi the bloom on the heather an the fine spell o wither
the craters hid hummed lik a mull,
an their workin-like mood gart McPherson conclude
that maist o the sections were full!

So, wi the hale evenin free an nae mair adee
he sneckit the door an set oot,
in the pooch o ees coat he hid a' that he nott -
ees pipe, an an aul muslin cloot,
he got intae the wid as quaet's he cwid
an wis sure that he hidna been seen,
tho there wisna a doot that he likit the loot,
ees likin wis less t' be teen!

(continued over)

The air wis fair hummin wi bees gyan and comin
as he steed an prepared for the snatch,
the cloot ower ees heid wid be a' that he'd need,
he wis sure he'd be mair nor a match!
Wi a hole for ees pipe, the settin wis ripe
an he puffed for a gweed-goin low,
an in nae time at a', he hid a' he cwid bla
wi a clood hingin ower ees pow!

God kens fit he did fin he liftit the lid
bit it hidna been pleasin the bees,
for wi army precision, they made the decision
t' come oot in a swarm an let bleeze!
Fin he startit t' flaff, the cloot slippit aff
an they each at ees heid teen a swipe,
an wi naebody t' aid 'im, the agony made 'im
bite fair throu the scobe o ees pipe!

He teen t' ees heels howlin eesless appeals
an ees airms nivver missin a turn,
wi ees back in a hump, ees feet teen a stump
an he cowpit full-length in the burn!
The watter, tho queelin, wis nae up t' healin,
so he gaithert imsel t' start crawlin,
wi twa slits for een, an a face lik a meen
an ees nose oot o sicht in the swallin!

In the coorse o ees wark he'd hane monys the yark
bit he'd nivver tried onything t' marra't,
fin he sa in the glaiss the kirn o ees face
he lookit as if he'd been harra't!
So noo he's geen back t' loaf an hard-tack
an ony time noo he wints honey,
he by-passes the bees, an tries t' appease
ees cravin the richt wye - wi money!

Noo, if iver ye feel a compunction t' steal,
in particular far honey's concerned,
ye'll be far better off if ye stick t' dry loaf
for bees mak the honey hard earned!
McPherson confessed that the stracht road's the best
an he's feenished wi actin the goat,
for he sweers t' this day, that if he'd hane a say
he's damned sure he'd raither been shot!

A Kittley Problem

If aul Hughie Clark hid been born in a park
he cwidna been ony waar barkit,
he'd a hide lik a boar, wi tidemarks galore
that a pick wid hae struggled t' markit!
The only bits clean were the fites o ees een
or so I'd been led t' believe,
an a little pink bib fair aneth ees lang nib
far he dichtit ees nose wi ees sleeve!

Twis the postie that said that he'd teen till ees bed
so the wife an me lookit in-by
wi a bite an a sup, an t' redd the place up
in case he'd the doctor t cry,
he wis fine pleased t see's, an it seemed ees disease
wis nae mair nor a touch o the flu,
so we baith made a start t' muck oot the clart
for the kirn widda near gart ye spew!

There wis semmits an socks stickin oot o a box
wi galesses, combies an cloots,
an kittlins an cats, an an aul pair o spats
an tatties wi syvin-inch sproots!
There wis remedies sure for caffies wi scoor
an potions for curin an killin,
an various maets half aitin in plates
an growin their ain Penecillin!

Aifter twa oors an mair, wi a brak for fresh air,
(for we'd nivver afore tried its marra),
wi got it ship shape, wi the aid o a graip
an a gweed puckle jaunts wi a barra!
It wis then the wife said that the state o the bed
wis garren er couk wi the smell,
it wid need strippin aff richt doon t' the caaf
an sae wid aul Hughie imsel!

So we raikit aboot t get stuff lookit oot
an we cam on some stowed in a press,
they werena great dale, bit at least they were hale
altho gye near as black's Hughie's face!
An we cwidna bit laugh at the blankets teen aff,
Ye'd hae thocht they'd been steeped in cement!
Bit we baith lost wir rag gettin them intil a bag
for it wisna gweed gettin them bent!

The wife gid ootside or I washed Hughie's hide
an shiftit ees draaers an ees sark,
it wis then I discovered the crater wis covered
wi flechs that did a'thing bit bark!
Says I, wi a shudder, as they crawled ower ees rudder,
"Yer loupin wi flechs, min, an bra eens,"
says he, as he claa'ed, "I'm nae near sae bad
noo the big eens are aitin the sma eens!"

Weel, I soakit an scrubbit, an seen hid 'im rubbit
until he wis nearly reed ra,
syne I gave 'im ees maet, sayin "Ye'll nae need the vet,
so the wife an me we'll hud awa,"
bit at hame it wis clear we'd a sma souvenir,
we were plaistert in spots wi their chaa'in!
Aye, thanks t' aul Hugh, we hiv flechs an we've flu
an we canna get sleepit for claa'in!

Green Fingers

In ivery wee toon there's a place far fowk gaither
tae tak a'thing throu-han an hae a gweed blaither,
an in jist sic a placie ae Saiterday nicht
the news turned t' gairdens, as affin it micht.

Of coorse, far there's a gaitherin, there's usually a wag
fa's nivver content unless taakin the rag,
a mannie lik Doddie bit, as weel seen see,
the bonniest bummer's nae aye the best bee!

Jock Simpson, an incomer new t' the toon
seemed a promisin target for Dod t' tak doon,
an fitivver Jock said, Dod poo-hooed it an jeered,
satisfaction the sweeter wi an audience t' hear't

"So yer doon fae the Cabrach? Weel. Weel! A gye odds
comin on t' gweed grun ahin heathery clods!
I'm nae neen surprised that yer tatties were sma,
I'm astonished ye managed t' grou onything ava!

Noo yer doon fae the hills intae civilisation
the gairdens roon here'll be a real education,
for I've heard, "snichert Dod, wi a wink t' them a'
"That the only gweed crap in the Cabrach is sna!"

"I've a crap o Keer's Pinks that wid pit yours tae shame,
I'll sweer there's nae less nor twa steen t' the stem!
An wi near ilka tattie the girth o my heid
it jist taks the een t' gie fower o's a feed!"

Jock decided twis time he gid on the attack
for Dod an ees sneerin gid richt up ees back,
tho gyan b' ees face ye wid nivver hae guessed
an a'body wis winnerin foo lang it wid laist.

"Damn the bit," exclaimed Jock. "Man! I'm affa impressed,
fin it comes t' green fingers there's fyow sae weel blessed,
it cwid maybe hae something t' dee wi locality
for the place I cam fae, I jist cwidna get quality.

Ye see, apairt fae the grun bein caul, clarty clay
my gairden wis cockit richt up on a brae,
affa awkward for tatties, or workin a hyow,
bit the wife lowered me doon atween dreels on a tow!"

Says Dod, a bit nittilt, "They'd been coorse kyne t' gaither,
wi a brae face lik that ye wid near nott a laither!"
"As a maitter o fact, I'd nae bather," says Jock,
"I teen oot the eyne stem an jist held tee a pyoke!"

A Chape Wye T' Traivil

I've affin been asked ower the twinty-odd ear
gin twis hard t' adapt till a life in a cheer,
weel, the short answer's "Aye", I'll nae tell a lee
bit as weel as the drabacks, there's benefits tee

Mountaineerin an ballet I've jist t' ignore!
Bit I'd nivver a hankerin t' dee them afore,
an jist think o the siller I'm savin on sheen,
I've twa pair at hame that'll nivver gyang deen!

Fin a nurse, wi a needle as thick as a pump,
lats yark at the sappiest bit o yer rump,
far you eens are rubbin't an tryin t' queel't
she cwid play darts on my een, cause I dinna feel't!

Steps are a problem, an doors files ower narra
bit for substitute legs there's nae beatin a barra!
She's nae bathert wi licence nor yet M.O.T.
an she's easy on petrol an parkin er's free!

She treats the environment wi utmost respect
deein nithing t' hasten the greenhoose effect!
Syne the speed o er's something that canna be flaa'ed
lik a pushbike, she'll gyang jist as faist as she's caa'ed!

If we're oot for a traivil, an the wife starts t' nyatter
afore I'd the cheer, I'd nae option bit lat er,
bit noo I've the barra I've nithing adee
bit hud on the throttle an she canna keep tee!

Wi a seat o foam rubber near fower inches deep
I'm some ill for clockin an faa'in asleep!
Bit comfort his usually a curse t' gyang wi't,
I'm bathert wi corns - aye, an nae on my feet!

Fin it's stannin-room only at concert or ball
I'm the only een sure o a seat in the hall!
Bit eneuch o me sittin here blaa'in my bellis
I'd better be quaet or I'll hae ye a' jealous!

A Nod's As Gweed's A Wink

Meggie wis single, bit nae b' design
for twis nae that she wisna the mairryin kine,
nor wis it a shortage a men that wis hindrin,
na faith ye! For Meggie she widna dee winnerin!
Bit the richt man wis lang kine o comin er wye
an as age creepit on, so er hopes slippit by,
or so Meggie thocht, until Mike he appeared
an in nae time at a' Meg's hairt it wis speared!

It wis throu the foreneen at a Cornhill Mart
that Cupid decided on launchin the dart,
as Meggie wis followin the bids on a stirkie
she happened t' notice this gweed-lookin birkie!
He wis leanin oot-ower the ringside railin
an, it seemed, wi nae interest in fit they were sellin,
fin he steekit ees ee in a lecherous wink
an the shock o't gart Meg's very lugs turn pink!

She regained er composure an gave 'im a look
jist t' see gin if maybe the wink wis a fluke,
bit he did it a second time, plain as ye please,
an Meggie felt sure she'd gie wye at the knees!
She dithert a file aboot fit she should dee,
she cwid either ignore 'im or turn an flee,
bit wi brazen-faced darin, she launched an attack
an gave him a muckle 'Come-hither' wink back!

She didna get muckle reaction fae Mike,
He jist gid a smile as polite as ye like,
syne drappit ees heid an shochilt ees feet
an lookit as shy as a sax-ear-aul geet!
He seemed a bit puzzled - twis hard t' explain -
so, t' mak maitters clear, Meggie winkit again,
bit ees spasm o chivalry seemed t' be deid,
he jist liftit ees bonnet an claa'ed at ees heid!

Fin the sale wis a' by, Meggie catched 'im ootside
an seen lat 'im ken foo he'd dintit er pride,
"Twis <u>you</u> winkit first, an it's you that's t'blame,
so the least ye can dee is t' gie's a lift hame!
Mike teen't in gweed pairt, an in nae time at a'
the twa, lik aul cronies, were yabblin awa,
an eventually, as een grew mair fond o the tither,
the twa winkin lovebirds gid a' wye thegither!

At length, they got mairriet an baith saittled doon
an were blessed wi twa bairnies, a quine an a loon,
they're as happy as Larry an affa weel matched,
an Meg aye rags Mike on the wye he wis catched!
An Mike huds ees tongue, lik a hen-peckit male
bit he hairbers a secret jist kent till imsel,
for the wink that he'd geen, an the wife that it got
hid, in fact, been a bid on a Hereford stot!

Lament for the Mini

Wee, tantalisin bit o cloot
the victim, files o ill-repute,
on my support ye can depend,
lang may ye lead the fashion trend!

I ken some thocht ye wis ower brief
bit fit aboot Eve an Adam's leaf?
Lord! Ee wis safer a'thegither
wi nae a chance that ee wid wither!

Tho caul eneuch t' cause the crowp
an jist eneuch t' hap a doup,
ye'd comfort in the thrill ye'd gie
displayin sic a skelp o knee!

Wi power t' boost the pulse's speed
ye were tailor-made for sluggish bleed!
An men - grown aul an like t' dottle -
discovered lang forgotten throttle!

They cursed their luck bein born ower seen
as they thocht o a' that micht hae been
bit thankfa, still, despite their moan
that they'd lived t' see the like o yon!

There's some advice I'd like t' gie
so I hope ye'll listen t' my plea,
fin ye div come back, I wid entreat ye
invite the tap claith doon t meet ye!

Fa kens? That meetin yet may come
an man! It'll fairly gar things hum
tae see a muckle sappy quine
without a stitch o ony kine!

Bit fitiver the Mini's pro's and con's,
the ither extreme wis thrust upon's,
for security without a lock
the Maxi beat near <u>ony</u> frock!

For heat, nae doot, it fulled the bill
bit progress-wyes, twis a' doon-hill,
an dangilt doon among the feet
wi damn the glimpse o calf or queet!

T leave sae muckle t' imagination
wis surely cause for indignation!
A nyaakit bittie here an there
wid left eneuch, wi some t spare!

So, come on you weemin, gie's a break
an change the style, for ony sake,
though some lads like yer modern rigs
yer neglectin us peer chauvinist pigs!

Feels on Wheels

Jock an Dod bade thegither at the back o the hill,
an were sittin, gye scunnert, fin the phone gid a trill,
at a quarter t' twal, Wastie phoned them t' speer
gin they'd like t' come ower an fess-in the New Ear.

As freens o lang stannin, richt back t' the skweel,
the annual foregaither held special appeal,
they wid soother the freenship, as cronies'll dee
wi a dram o Glenleevit - maybe twa, maybe three!

So they yokit the tractor an aff the twa set
wi the black deisel reek spewin oot lik a spate,
their lang-neckit bottles ticht corkit an foo
they drew up in the closs in a spasm o stew!

The gaitherin hid swaalt till the kitchie wis packit,
the toddy wis fleein, an they seen keest their jacket,
there wis diddlin an dancin, an baars b' the dizzen
an throat lubrication for fear they wid gizzen!

Fin somebody suggestit a turn fae them a'
aul Wastie, weel wattert, gid ees breath a bit dra,
bit the ablach syne startit some heich up the scale
an a' that cam oot wis a lug splittin wail!

So aul Kirsty Webster - ower saxty, bit swack -
loupit throu a Schottishe an brocht sanity back,
syne Dods 'Dyin Plooboy' gid ower a treat
an Jock, wi a hiccup, gave a'body a greet!

The band, jist a fiddle an peterie-dick
drew mony a yowl fae a mongeril bick,
the dog an aul Wastie made up a duet
till somebody threatened them baith wi the vet!

The tempo got throttle, the fusky it flew,
Jock an Dod missed their seats files, bit nivver their moo!
Till, at fower in the mornin, the tractor they yokit
an shot aff throu the parks lik Stevenson's Rocket!

"Hud er north," howled Jocky, in great agitation,
bit the warnin on Doddie hid little impression,
he heedit er sooth, an wi een or twa hoasts,
she wis up till er belly in waater an posts!

Jock sailed throu the air an cam doon wi a dird
an Doddie shot sidewyes an rowed lik a gird,
bit, despite the mishanter, ye'd hardly believe it,
they were still a' intact, as weel's the Glenleevit!

They baith spraalicht up fin they'd gaithert their ween
an did a bleary-eed survey b' licht o the meen,
syne set aff on shanks meer wi a last lingerin look
een oxterin the tither, lik a traivelin stook!

Lugs at the Fitba

I likit fine t' ca in-by an hear Lugs' epic yarns
an my favourite wis the fitba match held ower at Snoddy Barns,
noo, the fitba knowledge that Lugs hid wis as green as ony Kale,
bit saittle back, an I'll tell ye 't, in the wye he tells't imsel.

"Weel, twis nigh on fifty ear syne, or as near as maks nae odds
fin the news wis circulatit o a fitba match at Snods,
weel, twis something oot o the ordnar, an I cwidna dee bit see't
so duly on the day an date, I donned my fine new beets.

Noo, there's crowds, an crowds, an crowds again,
bit this een teen the cake,
an I cwidna see the ongyang tho I raxed my spinnle neck,
so I elbowed throu the shingbang, till I landit in the clear
an there, in draaers, an strippit sarks, wis the cause o a' the steer!

Jist fair anent far I steed wis a cheil atween twa sticks,
as shy a cove as ivver ye sa, for he widna rin an mix,
he'd a marra at the tither eyne, I think he'd been a breether
for they baith wore yalla ganseys, an he widna muck in eether!

Weel, they tore aboot lik paitricks, an hid tussle aifter tussle,
bit aye fin things got kittled up, a mannie blew a fussle,
an faith, I'll gie them a' their due, they fairly cam t' heel,
he'd likely been a shipperd or a gamie, yon wee chiel!

I wis staanin there as quaet's a lamb, an nivver sayin boo
fin a' at eence a clarty ba gid dirdin aff my broo,
my nose wis peelt an bleedin, an I cwidna see for glaar
an as I gid doon, my birse got up - I wis ready for a waar!

The spinnle-shankit mannie stannin in atween the sticks
till then hid hane a gye lean time, wi half a dizzen kicks,
an he caickled fin he sa me as I bent t' get the ba
so I took 'im fair amidships, maakin't seyvin kicks in a'!

Man! It fairly caused an uproar, bit I didna gie a damn
till a big reed-heidit Billy wi a han as bigs a ham
collart hud o baith my lugs an gid an anti-clockwise screw
garrin tears gyang trippin doon my cheeks till I fairly went cuckoo!

Noo, nae a'body his respect for lugs lik I've respect for mine,
bit I've an extra big set, a prize pair o the kine
an I canna thole them hannilt, mair especially screwed lik yon,
so I thocht twis time I showed 'im that sic treatment wisna on!

I swung my brand new tackity beet, an it fairly funn its mark
for it landit wi a sappy plout jist fair aneth ees sark,
syne I teen the crowds advice as ilka een cried "Rin Lugs, rin!"
An I heidit hame for safety wi twa fitba teams ahin!

Weel, thank God I seen shook redd o them, bit it left me ticht o ween,
I cwid hardly tak my supper for the skaakin o the speen!
An fin the wife speert fit wis wrang wi's, I jist lat me heid incline
an I teelt er it wis fitba - aye weel - fitba o a kine!

Hame Comforts

For the maist o their lives, Jean an Jocky hid bidden
in a cotter they'd rentit the time o their weddin,
o modern comforts the hoosie wis bare,
fower wa's an a reef, an nae muckle mair!

For licht, they'd a tillie that hissed in a neuk
an a galvanised bath gin they wintit a dook,
wi a loo at the gale that wis gye near as caul
as the pailfaes o waater they drew fae the waal!

"It's sair needin an owergyan," Jocky wid bleat
though fine did he ken they'd nae siller t' dee't
bit Jean, bein tyeuch, an o hardier breed,
wid scoff, an say "Tyaach! We hiv a' that we need!"

Bit the ears slippit by, an the aul clay-waaed biggin
grew past a' redemption fae foon t' the riggin,
the bucht wis condemned fin the sanitry cam roon
an eventually, they baith were re-hoosed in the toon.

A twa-three month later, fin passin that wye
I stoppit an gid them a shoutie in-by,
an speert foo they'd saittilt, in the coorse o wir news,
an I cwidna bit lach at their differin views.

"Man," says Jocky, "It's seldom I'm oot-ower the door
for we've a'thing inside far we'd nithing afore!
Jean mony times tellt's I did nithing bit moan
bit Lord! Twis a miracle foo we stuck yon!"

"Yon aul timmer lavvy wis nae ees ava -
I wis aye damned near pairished come rain or come sna!
Twis the same haein a bath - noo I relish my dook -
an I'm in-ower the heid lik an Aylesbury Jeuk!"

Bit Jean, as I've said, wis o hardier stock,
an she hid a different opinion fae Jock,
"That we've a' modern comforts, I winna dispute
bit ach! They're refinements we cwid fine dee athoot!"

"Jock's lang or he rises, an late aye in beddin,
syne he's up throu the nicht t' the lavvy paradin,
there's files I'm nae sure gin I'm gyan or I'm comin
for I'm nae gettin slept wi the dirl o the plummin!"

"Afore, he'd a bath aboot eence the sax weeks,
bit noo we've haet waater, he's *aye* aff ees breeks!
An he keeps tappin't up fin it threatens t' queel
for noo, he's a *soak* far afore, he'd a *sweel*!"

"There wis little adee wi the wye that we lived
for there's nae comfort missed until ye first hiv't!
Jock girned o the lavvy, an files got my goat,
Twisna fancy - bit functional - an wis a' that wis nott!"

"He nivver socht lang wi the *caul* t' endure,
bit noo, the same eerin taks mair nor an oor!
Far yon squars o aul paper got scarcely a look
he'll cock on the throne, noo, an read a hale byeuk!"

"An syne there's the hooses here, ra upon ra,
far afore we wid privacy, we've noo neen ava!
An Jock's jist fair connacht, groun lazy an leepit,
it's a cooshie sit-doon, bit for me? - ye can keep it!"

Battle O The Bulge

Fin Dave grew fat an easy peched
he turned ees thochts t' tinin waicht,
an vowed t' shun a' fatty maet
as weel as work a sma'er plate!

He tellt ees wife aboot ees plan
an speert gin she wid gie 'im a han
b' steerin clear o greasy fries
an puddings, pottit heid an pies!

Noo, Meg wis biggit lik a hyow
wi an appetite t' match a gow,
she didna wint t' spare the pot
t cure an ill she hidna got!

"Awa," says she, "An bile yer heid,
fit wye should I come aff my feed?
An if yer envy turns ye green
jist hud yer nose an steek yer een!"

At braakfist, Dave tried t' get engrossed
in chaain a skinny bit o toast,
in a vain attempt t' blot oot Meg
staapin ersel wi ham an egg!

Come fly-cup time, a cup of tay
wis a' that Meg wid lat 'im hae,
taakin little notice o ees groans
as she got wired intae the scones!

At dennertime, he gid ravin in
claimin ees ribs were cavin in,
"Ive a hunger like t' cut my throat!
Fit's that hotterin in the pot?"

"Forget the pot. That's nae for you!
That's my doughboys an my stew!
I've deen a bonnie salad for ye,
stick in tillt - that'll seen restore ye!"

At supper time, twis jist as bad,
the less he got, the mair she chaaed
at chips, an beans, an biled ham
an butteries clartit thick wi jam!

A' that nicht, a restless Davy
dreamt o pork chops droont in gravy,
Yorkshire puddin, roastit tatties,
mealy-puddins an chapatties!

Wi hunger pangs he tossed an tummilt,
in sympathy ees belly rummilt,
an lang or risin time cam roon
ees will-power it hid broken doon!

At braakfist-time, wi plate fair brimmin,
he lost a' further thochts o slimmin,
"Na, na!" says he, "I'll thole the fat,
there mun be easier wyes nor that!"

So, wi muckle thocht, an little skill,
Meg fun a cure t' fit the bill,
"A' that's nott's a twa three steeks
pittin a sax-inch gushet in yer breeks!"

A Question O Identity

"T' Kate an Bill, the gift o twins",
is foo this yarn o mine begins,
I line or twa in the local press
wi day an date as weel's the place.

The details I'll full in mysel,
baith the bairnies they were male,
sax pun the piece, an ticht o hair,
bit little ither did they share.

Far Bert wid sleep near roon the clock
ye'd hear instead, the howls o Jock,
he'd baal as if he'd tak a fit
the meenit that he tint ees tit!

Fin haein ees bath, Bert craa'ed and splashed,
a perfect topper gettin washed,
syne, dried an poothert, an on ees nappy
he'd wyte or Jock wis throu, quite happy.

He'd scoff fitiver maet ye'd mak
an rift fin ye rubbit at ees back,
syne, happy that he'd got ees due
he'd lie an cra wi belly fu!

Bit Jock wis something else again,
He scraiched as seen's the bath cam ben
an nae content wi a' ees clatter
he'd gyang an piddle in the watter!

For a the twa three pun he wyed
ye'd t' hud 'im doon t' get 'im dried,
syne, a half-oor aifter gettin ees dippin
as sure as fate he'd full ees hippen!

An maet! Nae maitter foo ye'd mak it
thick or thin, he widna tak it
bit grippit aye ees mooie ticht
syne caaterwallt for't throu the nicht!

Fin oot thegither in the pram
Bert wis the perfect little lamb,
bit Jock jist glowert fin fowk wid pat 'im
or hae a shot at keekin at 'im!

Fin baith were up an fit t' traivil
the neepers aye got in a raivil
identifyin Jock fae Bert
for they cwidna tell the twa apairt.

Eventually, baith gid t' the skweel
an gye near drove the teacher feel,
so ower she gid t' ask their mither
foo best t' tell een fae the tither.

Says Kate "Ye dinna need t' guess,
tak my advice - forget their face!
Wi Jock, there's nivver ony doot
for his sark-tail's aye hingin oot!"

Slippin Standards

Jock an Janet hid been watching a romantic kin o play
an aifter it wis feenished, they discussed it ower their tay,
at least, that's foo it startit, an although nae ill wis meant,
Jock startit pullin Janet's leg, an this is foo it went:

"I mine fin we got mairriet, quine. Ee oxtert me lik yon,
an kissed me till I tint me breath, an caa'ed me "Darlin John!"
An a' the time yer fingers rinnin throu my curly locks,
bit a' the romance that I hae noo is jist fit's on the box!"

"Fin I think o foo ye eest t' be, a lump comes t' my throat,
for ye've fairly teen a somersault since first we tied the k-nott,
t' mak a tasty beef steak pie, I nivver sa ye loth,
far nooadays, I'm thankfa for a plate o yaavil broth!"

"I've seen ye, fin I've graftit hard, massagin a' my jints,
an raither nor hae me boo'in, ye wid loused my verra pints!
An a yokey yaavin doon my back wid see ye geein't a cla,
bit noo I'm lik a pig, an hiv t' fyaach against a wa!"

"I canna think fit ails ye, for I dinna feel I've varied,
deep doon, I'm still a loon at hairt, an the self-same Jock ye mairriet,
I likit bein fussed ower - tho I'd maybe nae lat on -
twis attention t' sic details that aye kept me in gweed bone!"

"For instance, fin we beddit, an I files wis feelin shivery,
I hid jist t' mention "bottle", for a double-quick delivery!
It's a different story nooadays fin I tak a shivery spell,
ye yark yer caal feet in my back an gar me full't mysel!"

"At the picters, fin we'd sweeties, an we sat in yon back ra,
for ivery een that ee got, ye made sure that I got twa!
Far noo, I mun be thankfa for een jist noo-n-an,
an it's aye the eens ee dinna like, like coffee or marzipan!"

"I mine fin ye kickit up a soon gin I steppit oot o line,
I wis flattert wi yer jealousy fin I chattit-up some quine,
bit yet, the tither day here, fin I chattit-up Meg Watt,
Ye nivver jowed yer ginger, so, come on noo - fit wye's that?"

Janet calmly feenished aff er tay afore she raised er heid,
an says tae Jock, wi a hairty lach, "Oh, that! There wis nae need!
I'll nae deny there's a grain o truth in fit ye've jist recaaled
bit I mine fit eeve forgotten, Jock - yer syvinty, min - an bald!"

A Short-Cut T' Siller

Jean, fin er brither up on dee't, fell heir t' the fairm o Hillockheid,
as weel as forty thoosin in siller, t' see that wark wid nivver kill er!
Dod, the foreman, teen the chance, t' shaav the seedlins o romance,
An Jean, love stairved, an draain the pension,
wis flattered sair wi Dod's attention!

Flattered, aye! Bit nae jist feel. For she kent twis the place that hid appeal,
an, tho nae the wye she wid've hane't,
there wis aye the chance - fooiver faint -
that Dod wid tak a likin till er, forbys the place an a' er siller,
an so, t' maximise er hope, she aye gave Doddie plenty scope!

Bit Lord, ye wid hae raikit sair, or ye cam on sic an ill-matched pair
for Dod, as a'body wid agree, wis younger-like nor fifty three,
a swaak, gweed lookin, graftin billy, he turned the heid o mony a filly,
sma winner, than, that Jean gid gyte, as love gid ower er lik a blight!

For she wis something else again - a trachly, tousily, battery-hen.
Er skin wis yirdit, er claes ill-fittin, lik something skyaalt fae aff a flittin
aneth er nose, an roon aboot it, fuskers lik a cat hid sprootit,
aye! Fin looks hid been dished oot, peer Meggie she'd been oot-aboot!

Altho she'd sit a' day and molach, in a' respects, a human golach,
there's nithing fires a gweed romance sae weel's the lure o high finance,
an Dod thocht "Damnt! Altho she's roche,
there's plenty room aboot the troch,
an the crater's ready for the knacker - I wid be gypit nae t' tak er!"

The upshot wis, tho sair they variet, the pair o them eventually mairriet,
wi Jean gie'in Doddie ivery chance t' base the mairriage on romance,
bit Dod, imsel, poo-hoo'ed sic notions,
an widna even gyang throu the motions,
gweed God! The only wye he stuck it,
wis the thocht that seen she'd kick the bucket!

Bit plans, fooiver weel they're laid, gyang aff agley, as Rabbie said,
for Jean wis sweer t' tak er leave - instead the crater actually threeve!
An, far fae heedin for the knacker, lik meltin fat she aye grew swaaker!
An Dod imsel showed signs o failin, as the strain o wytin startit tellin!

As the ears slipped by, he pined awa, an come time, wis nivver oot ava,
an it gaalled 'im sair, as he glowert at Jean, an thocht o a' that micht hae been!
In the hinnereyne, he teen a chill, an gaithert throttle doon the hill,
for days he lay wi a croupy hack, syne he teen the road we've a' t' tak

Ees beerial, in the aul kirkyaird, wis a gran affair - nae expense wis spared,
wi a fancy steen abeen ees heid, an a line or twa for a' t' read:
"In memory o Dod, aged sixty nine; he mairriet me for fit wis mine,
he finally got fit he socht t' gain, a bittie o grun t' ca ees ain!"

A Heavy Mail

Doddie the postie's country roon, teen in the scaap abeen the toon,
the twinty mile o't - a' uphill - he taickilt daily wi rank ill-will!
In decent wither he cwid bike it, bit come the sna he hid t' hike it,
an aul Ned's craftie, Dubbyfaal, wis Doddie's hinmaest port o caal.

Becis o far the mannie bade, Dod aye teen oot ees spite on Ned,
an sair he girned, daily day, as he set ees fit t' tak the brae.
Till Ned, at lang last, tint ees patience,
an drapped a' diplomatic relations,
maakin up ees mine t' sort 'im oot,
an gie 'im something t' girn aboot.

Winter cam an sae did sna, wi throu the nicht a fair bit fa,
an the plan he'd hatched wi sic devotion
wis ready noo t' set in motion.
So he oot an yokit the Davy Broon,
an aff he hottert t' the toon,
he'd a puckle eerins that he nott,
an wid kill twa birds wi the single shot.

Neist day, weel throu the aifterneen, the onding hidna slackint neen,
a day nae fit for horse nor cuddy, far less for ony human body,
bit there, near foonert, fite an peched,
an boo'd twa-faal aneth the wiacht,
taakin twa steps forrit an een in reverse,
cam Doddie, widin t' the knees!

"Gweed God!" cries Ned, "Yer fabbit, Doddie!
I sa ye comin up the roadie,
an yer nose is affa near the grun!
Lord! Sic sichts we see athoot a gun!
Stan up a meenit, tak yer breath,
in case yer legs faal in aneth!
An wi waichty letters in yer pyoke,
ye should louse that strap afore ye choke!"

"Fine div ee ken, ye foosome crater,
I'm nae twa-faal wi ony letter,
it's this parcel here that's caa'd me deen,
the damned thing's weel abeen twa steen!
I wis ass sair made wi haein t' hump it,
affa little wid gart me dump it!
Hae ye ony idea fit micht be in't?
for gyan b' the waicht, ye'll nivver wint!"

Says Ned "Are ye sure it's meant for me?
We'd better open't or we see,
fit's this? It's jist a roosty box -
I some doot somebody's playin a hoax!"
"Come awa!" snaps Doddie, "I canna bide.
Rive aff the lid or we see inside!
Pull!! That's it! I think we hiv it.
Gweed God! A muckle bloody divvot!"

"Hud on," cries Ned, there's a notie here,
bit the writin's nae jist affa clear,
Here. Read er oot - I canna see -
an eev got better een nor me."
Dod fished ees glaisses fae their case,
an it wisna lang afore ees face
grew reeder aye the mair he red,
for this is fit the notie said:

"Sic blin devotion t' yer duty
cwid near be caa'ed a thing o beauty,
an there's little doot ye'll mak yer mark
wi sic devotion t' yer wark!
It set me back five poun t' post,
bit Lord! I didna grudge the cost!
Twis worth it, jist t' see ye bile,
humphin a divvot twinty mile!"

The Diagnosis

I wis sittin in the wytin-room o the doctors' surgery
far a' the ither patients seemed t' wint t' sit an dee!
For nae a word wis uttered b' the ten fowk in the room,
they jist sat there, glowerin at their feet, an contemplatin doom!

Bit syne the door wis opened, an an aul lad wannert in,
a chirpy kinna covie, wi a wither-beaten skin,
ees ee gid ower the gaitherin, or he spottit een he kent,
syne he spoke eneuch for a'body, an this is foo it went:

"Oh, it's you is't, Wullie? Foo ye deein? I suppose I needna speer,
for ye canna jist be deein great, or I widna see ye here!
Man! Ye are a bittie droopy-draa'ert, an hingin-luggit kine,
bit, nae doot ye'll get a potion that'll pit ye oot o pine!"

"I'm nae jist keepin great, mysel - my guts hiv fair geen gyte!
There's files I'm caal an shivery, syne I'm gye-near blin't we swite!
An toddy disna help me neen, it's near comin oot me lugs,
so I'm hopin that the doctor gars me fire on fower plugs!

Oh, fine I ken the cause o't, like - it's this lads gyan t' the meen
an cairtin back diseases fae the craters up abeen!
They shouldna get inveigled wi the likes o them up there,
We've nae seener conquered ae disease, fin doon they come wi mair!

Jist think aboot it this wye - fin we pyocher, sneeze an hoast,
a hanky keps a puckle germs, bit there's aye a puckle lost,
noo, a' that germs an microbes - jist consider far they've geen -
they get raivilt wi the atmosphere, an get sookit up abeen!

Ach! They winna be content until we're connacht a'thegither!
It's them I blame for landin's wi the doonturn in the wither,
for onybody wi half an ee cwid see disaster comin,
if ye skite yon rockets ower heich, yer bound t' blaad the plummin!

I'm convinced they've deen some damage, tho there's plenty fowk wid scorns,
bit I eenst tae tell the wither b' the antics o my corns!
Gin they dirled, ye cwid guarantee that rain wis on the wye,
bit noo they're dirlin a' the time - even tho it's dry!

An syne this Common Market disna dee's a lot o gweed,
the shops are foo o falderaals that's a' o foreign breed,
there's jist nae huddin again till't - a' it nott wis jist a start -
noo I seldom get a diet bit it's some new fangilt clart!

Aye, the worl's in an affa state since I wis bit a youth,
for example, tak the antics o the fowkies further sooth,
fin they wint a twa three eerins deen, Lord, whit a sang an dance,
they loup in-ower a hoovercraft, an dee them ower in France!

Na! There wis nithin comin ower fowk on tatties, milk an meal,
an there wisna a' this mystery till't fin files they were nae-weel!
It wis jist a twist in the puddins, an a damn gweed dose o sults,
far it's an "itis" or an "osis" noo, or some ither foreign faults!

Weel, here we go. It's my turn noo, tae get my M.O.T.
The reception lassie tellt me that the new lad's seein t' me,
I winner, noo, far he cam fae, for the wye that things are gyan,
he'll likely be lik a'thing else - importit fae Japan!

SONGS

For tunes, please refer to
cassette list at rear of book

For tunes, please refer to cassette list at rear of book

The Festival O Keith

(Song)

We've a' come here thegither, for a faimly gaither roon,
we hiv music o a mixture that'll shak ye t' the foon,
in the gran, aul Scot's tradition, be ye aul or cuttin teeth,
we extend a warm welcome t' the Festival at Keith.

CHORUS: Hud er gyan, lads an lassies, hud er gyan, hud er gyan,
mak the hills ring wi the music if ye can,
be it fussle, box or fiddle
bothy ballad or a diddle,
hud er gyan, lads an lassies, hud er gyan.

There's something here for a'body that's musically inclined,
there's twa's an three's an soloists, an files the lot combined,
they come fae a' the airts and pairts, fae Ettrick t' Dunbeath,
for a gran weekeyne o music at the Festival o Keith.

CHORUS:

There's nae discrimination, be ye up or be ye doon,
be ye businessman or scaffie, be ye clerk or orraloon,
we dinna care a docken, jist as lang's ye can bequeath,
a success that's nivver endin t' the Festival at Keith.

CHORUS:

So if yer bleed be sluggish, or yer circulation poor
or fitivver else is wrang wi ye, we hae a ready cure,
in the freenly little toonie, midst the heather hills, an heath,
there's a cure for a' yer ailments at the Festival o Keith.

CHORUS:

Aul Davy's Draa'ers

(Song)

Aul Davy's wee hoosie, a humble abode,
fae the day it wis biggit, hid faced the main road,
wi the back o't weel hidden fae traffic gyan by
an Davy imsel wid hae't nae ither wye.
Bit the fowk in authority seen lat 'im see
that, gin they wintit change, then a change there wid be,
they wid nae be denied, nor tak ony excuse,
an they made a new road ben the back o ees hoose!

Of coorse, wi the change fae the aul t' the new,
fit hid eence been weel hidden wis open t' view,
an a' passin tourists, fae royalty t' Pope,
sa a'thing that Davy hung oot on ees rope.
Noo, it wisna that Davy hid muckle t' hide,
nor yet wis he ower sair bathert wi pride,
bit an aul pair o draa'ers, made in nineteen-o-two,
were shortly t' cause a gye hullaballoo!

T' the garment in question, he'd gotten attached,
in spite o the fact they were darned an patched,
an o various colours that changed wi a loup
fae black at the legs throu t' reed at the doup!
At the eyne o each week they were washed an hung oot,
a gaudy concoction o dootfa repute!
That caused a lang tail-back o larries an cars,
for naebody hid seen sic a droll pair o draa'ers!

Fin it cam t' their notice, the Cooncil stepped in
an decreed that the eyesair be thrown in the bin,
till a Tourist-Boord mannie says "Dinna be feel,
they've tremendous potential for tourist appeal,"
so the Cooncil forthocht, an wi government aid,
they constructit a lay-by for parkin instead,
as weel as a cafe, wi twa cocktail bars,
far a toast cwid be drunken t' aul Davy's draa'ers!

(continued over)

Davy seen realised there wis cash t' be made,
an he ran a wee business fae oot o ees shed,
chairgin sixty-five p, for a snap at close range,
an in nae time at a, he'd a heap o sma change!
The local Gazette gave 'im acres o space,
an, come time, he got intae the national press,
bit altho he hid risen t' rank wi the stars,
ees hale reputation wis based on ees draa'ers!

The soap manufacturers vied for ees trade,
an monies the lucrative offer wis made,
fae free washin poother, t' weekeynes in France,
gin he'd grant them exclusive control o ees pants!
That he'd worn them fin sojerin seen got aboot,
an a Colonel wis sent t' dispel ony doot,
Davy seen lat 'im ken they'd been worn in twa waars,
so a lang-service medal wis preent t' ees draa'ers!

Fin news o the show penetratit doon Sooth,
some members o parliament deemed it "uncouth"
wi ithers gyan farrer, an caa'in't "obscene"
an tablin a motion that "action be teen".
The story, it seemed, hid nae eyne o appeal,
an some radical changes were made at the skweel,
for they reached a decision tae drap the three "R's"
an hae lessons instead aboot aul Davy's draa'ers!

Bit ae nicht, as ees washin hung oot on the tow,
a storm-force win fussilt fair ben the howe,
it sooked up ees claes, nae a thing did it spare,
an a hale line o washin teen aff in mid-air!
Davy tried sair t' save't, bit he hidna a chance,
as ees draa'ers, foo o win, did a fare-ye-weel dance,
so, if iver ye hear o a droll sicht on Mars,
I widna mine bettin it's aul Davy's draa'ers!!

The Humble Tattie

(Song)

Noo, some nicht fin yer idle, an ye've nithing else t' dee,
Jist ponder on the tattie, and its versatility,
for it's been a staple diet throu a history-byeuk o waars,
an it's blessed wi mair equations than a chokit, kist-o-draa'ers!
Tatties for yer braakfist, yer denner an yer tay,
there's nithing wrang wi tatties at ony time o day,
ca them spud, or potato, or even pomme-de-terre,
a diet's nae a diet unless the humble tattie's there!

There's battered eens, buttered eens, biled an barbecued,
chippit eens an chappit eens, tho I've nivver tried them stewed!
There's stovies an there's shepherds' pie, tae gar yer belly sag,
an even in a pyokie wi a wee blue bag!
fried eens, frittered eens, an some that hae a been,
gye ill-pared eens wi half-a-dizzen een,
bakit lads, cakit lads, an some wi jackets, tee,
an if yer wife's lik mine, ye'll hae tatties throu the bree!

There's pink eens, an yalla eens, an reed, fite an blue,
an files ye'll get a mongrel o a questionable hue,
fresh eens, frozen eens, an tatties big an sma,
an some that, fin ye hole them, ye get nithing there bit sha!
mealy lads, an soapy lads, an some that's in-atween,
late lads for liftin fin the early eens are deen,
aul wizzent sprootit eens t' gie the soo a feed,
an a' the little tottems that are keepit back for seed!

There's Golden Wonder, Craigneil, as weel as Sharp's Express,
an poothert ains caa'ed "Smash" that they ait in ooter-space,
an thin skinned Cypress eens t' get ye throu the spring
an muckle sappy English eens ye gye near need t' wring!
There's lang lads roon lads, an kidney shaped as weel,
an ither lads turnin green wi stickin oot the dreel,
canary eens, an hairy eens, an some that's black wi blight,
an ivery een the better o a twa three load o dung!!

(continued over)

There's Kerr's Pink, British Queen, as weel as Duke o York
an ither brands fit for maakin piggies intae pork,
an noo there's Great British eens the market for t' tak,
an ithers that are champion for soup t' keep ye swaak!
So here's t' the tattie, an lang may they swaal,
herrin wi the new eens, an size wi the aul,
the workin man's caviare, steamin fae the pot,
there's nae a veg that's growin, bit the tattie beats the lot!

NOTE : For tune details, see cassette number CWGR 089 (Tatties throu the Bree) on the Ross Record Label.

The Lispin Leghorn

(Song)

Noo, this is a tale, tho I say't mysel, that'll gar ye cla yer heid,
it concerns a chuckin that eence wis hatched, a maist peculiar breed,
I chirsened it Meg fin it laid an egg, bit syne it caickilt an crew,
so I didna ken, if it wis a hen, or a cock-a-doodle-doo!

CHORUS: Oh, my! What a how-do-you-do,
For I didna ken if it wis a hen or a cock-a-doodle-doo.

Noo, a normal cock o respectable stock, his a cra that's clear an crisp,
bit it seemed this freak, hid a feminine streak, for it likit tae cra wi a lisp,
it fluttert its een, lik a fairy queen, fin the dominant male appeared,
an I seen surmised, b' its pansified wyes, I wis landit wi something weird!

CHORUS:

On a neeber's advice, I entered it twice at Keith an Turra an a'
bit I won nae prize, in spite o my tries, fin the judge he heard it cra,
he speert "Is't a he, or is it a she, for I'm damned if I've a clue,
bit we winna fa oot, we'll settle the doot, wi an independent view!

CHORUS:

So we called in the vet, t' eyne the debate, an speert gin he'd hae a look,
an wi ivery appliance o modern science, he explored each feathery nyeuk,
he hauled an howkit, an probit an powkit, nae winner the crater scraiched!
Syne he fichert wi funnels for keekin up tunnels, tae seen gin its hat wis straicht

CHORUS:

Weel, fitivver he sa, ees heid got a cla, an he says fin he'd gaithert ees braith
ye wis winnerin whither, twis een or the tither - as a maitter o fact, it's baith
yer chuckin's a freak, fae its bum till its beak, I ken b' its parson's nose!
The signs are clear, I'm ready t' sweer, that it's definitely one of those!"

CHORUS:

(continued over)

Noo, I hiv t' confide, I canna abide, this modern permissive trend,
an nae wye wid I aid, its imminent spread, wi a bird half roon the bend!
I wis burnin wi shame, an as seen's I won hame, I raxed its neck wi an oath,
bit in spite o its flaas, an effeminate craas, it made a fine pottie o broth!

CHORUS:

The Dumplin

(Song)

Fin Jeannie's aulest sister teen a dwam ae aifterneen,
er man agreed she'd better gyang an see fit cwid be deen,
so she packit twa three thingies in a case, an aff she gid,
leavin Wullie t' get on wi't, an t' cope as best's he cwid!
Fin he rose the followin mornin, an gid ben t' licht the fire,
he fun the boo'in awkward wi ees muckle spare tyre,
an he used the plastic tattie pail t' pit the cinders in,
an it meltit wi a gush o reek that left 'im ticht o win!

Fin eence he'd gottin't conquered, he sat doon t' hae ees tay
an feelin noo in better bone, began t' plan ees day,
he lookit for an easy wye, an inspiration came,
he wid mak as big a dumplin as wid laist or Jean cam hame!
He lookit oot a basin that wid hud the stuff he nott,
an a'thing that wid boost its size, the dumplin got the lot,
o the quantities required o each, he wisna affa sure,
bit raither than be ticht, he aye held in anither stoor!

The result, fin steert thegither, wis a clarty grey k-nott,
an he tied it in a pilla-slip, an stapped it in a pot,
He gave't a suppy waater, syne he shoved it on t' bile,
an decided jist t' leave it t' get on wi't for a file!
He left the lot t' hotter, an gid ben t' mak the bed,
nae fancy wyes for Wullie, jist a quick throw up instead,
fin he flypit up the blankets, they lat louse wi sic a whuff
that he coupit a' Jean's poother-pots, an jars o coloured stuff!

He gid oot t' dee the orra wark, or denner-time wid come,
an a' the time he thocht aboot the appetisin hum
that hid waftit oot the kitchie door fin last he'd hane a look,
the smell hid curled roon ees hairt - twis a credit t' the cook!
Denner-time it cam at last, an in he gid t' dine,
bit the dumplin he'd imagined wis a duff o a different kine!
For the dollop it his swaalt as much, its girth hid burst the cloot,
an in half a dizzen places, half its guts wis hingin oot!

Wullie widna thocht it possible t' swaal at sic a speed,
it wis achteen-inch abeen the pot, wi the lid perched on its heid,
an even as he watched it, aye the heicher up it rose,
an spottit lumps were stickin oot like a Springer-Spaniel's nose!
He turned aff the gas, an gid t' lift the pot ootside,
bit the hannil o't wis beeriet wi the puddin bein sae wide,
an he cwidna get a hud o't till he'd hackit aff a daad,
so Wullie deen't the quickest wye - he skimmed er wi the spaad!

Fin he threw the surplus puddin t' the collie in the closs
it traivilt roon't, stiff-leggit, an it gurrrt at the unca soss,
a' ben its back, its hair steed up, as if't hid gotten a fleg,
an syne the final insult - as the damned thing cocked its leg!
There wis still a muckle pot-fae left, that he tried t' ait imsel
an he hid it twa three times a day, till he cwid hae seen't in hell!
He fried it, an he stewed it, an he hid it caal an hait,
an oh! afore a week gid by, he wis scunnert o ees maet!

The sicht o't gart 'im shudder ivery time he sat t' dine,
an he felt he'd hae the jandies or he reached its hinnereyne!
Till he vowed that nae anither crumb wid iver reach ees moo,
an he couped it in the orra-pail, an gid it t' the soo!
"Yer affa peely-wallie like," says Jean, fin she cam hame,
"Ye'll nae hae made a diet. Noo, I'll bet that's fit's t' blame!
Thank God peer Meg wis weel eneuch tae lat me hame the day,
I'll jist awa an mak a bonnie dumplin t' yer tay!!"

The Gairdiner's Medley

(Song)

Daisy, Daisy

Daisy, Daisy, you are my favourite coo,
I'm jist crazy, ower fit I get fae you,
ye gie me fower gallons daily
as lang as I full yer belly,
bit, nae only that, a bonnie coo-pat,
ivery time that ye dee the loo!

I Love A Lassie

So, I'm gyan organic
for ye canna whack a bannock,
I get plenty fae my stirkie, Daisy-bell,
an she disna mine me taakin't,
for she's nae bather maakin't,
Daisy - I think yer swell!

Ho-ro My Nut-Brown Maiden

Ho-ro my nut-brown midden
ho-re my nut-brown midden,
Ho-re-e, ro-o midden,
yer jist the stuff for me!
There's fowk that sweer b' horses'
an ithers sweer b' coos,
bit the source is affa similar
fitiver een ye choose!

Roamin in the Gloamin

If yer roamin in the gloamin
an yer winnerin far I bide,
fin it's yoamin in the gloamin
then yer nose'll be yer guide,
for a smell that reigns supreme
tak a whiff o midden steam,
oh, it's lovely yoamin in the gloamin!

Will Ye Stop Yer Ticklin, Jock

So the next time that ye yoke,
dinna use stuff fae a pyoke,
dung is far superior t' yon artificial trock,
an ye'll grou far better veggies
be it neep or artichoke,
if it's craps yer needin
gie them't haet an reekin,
an aye keep plenty in stock!

Jist A Wee Doch An Doris

Tak a wee iron barra, an keep yer load sma,
fin yer shoothers are narra,
it's easier t' ca'
there's a wee tattie wytin, an ye've a'thing t' gain,
gie't a gweed supply, an it'll multiply
an turn in tae ten!

Keep Right On To The End Of The Road

Keep right on to the end o the dreel,
keep right on to the end,
fin the ear's still young, ye should hud on the dung
for on it, your craps will depend!
An tho yer tired, an weary, still tyaave awa
tho the stoons in yer back be severe,
an yer spuds an sproots; will be great muckle brutes,
fin ye come to the end o the ear!

The Mither Tongue

(Song)

As we traivil ower the country, viewin a' its airts an pairts,
we'll come across a corner that'll captivate wir hairts,
lik the Nor-east neuk o Scotland, far the bothy sangs are sung,
the hame o the Doric - aye! Wir ain mither tongue!
Far words are being spoken that were used in bygone days,
far they're maisters o expression, an a couthy turn o phrase,
far their pawky sense o humour compliments their ready wit,
an if it his a marra - then I've nae seen't yet!

CHORUS: For it's my kine o country, far they mak ye feel at hame,
ither places, b' comparison, are a' gye tame,
if I can live my lifetime in't, I'll aye be weel content,
an consider ivery meenit o't as time weel spent.

A' the fowk that scoff at Doric, may they hing their heids in shame,
the fowk wha drap their dialect aifter twa three weeks fae hame,
fa think a fancy accent is the een that aye succeeds,
tak peety on sic craters, for they've a' teem heids!
An then there's ither fowkies wha prefer the foreign scene,
an nivver tire o tellin o the places they hiv been,
fae a' the bra resorts in Spain, t' places on the Rhine,
gie me a place in Grampian - that' s mair my line.

CHORUS:

The wannerlust that bathers some, is nae a fa'at o mine,
bit ach! It widna dee if fowk were a' the same design!
Hooiver, I wid say t' them that hae the rovin thirst,
"Tak a gweed look roon aboot ye - see yer ain country first!"
On the antrin odd occasions fin I've been awa fae hame,
ower the Channel or the Border, aye my feelins were the same,
though the fowkies bid me welcome on fitivver road I strike,
there's neen that hae a welcome that can match "Fit like?"

(continued over)

CHORUS:

So, come a' ye Doric speakers, dee yer duty b' the young,
instil a healthy interest in wir ain, wir mither tongue,
dinna tyne the aul expressions, raither try an hand them doon,
fit better education for a quine or a loon?
It's nae some orra clatter that we a' should try an hide,
it's pairt o Scotland's heritage, so use it aye wi pride,
we'd each an ivvery een o's be the peerer for its gyan,
let's mak it as endurin as the Nor-East lan!

CHORUS:

The Menu

(Song)

Robbie Smith, an only bairn, an an affa mither's loon,
the day he startit workin at the fairm o Cla-ma-croon,
got ees mither t' gyang wi 'im for a wordy wi ees boss,
an this is fit she hid t' say fin she catched 'im in the closs:

"Gweed mornin, Mr Anderson. Here's Robert, safe an soon,
I thocht I'd gie 'im a rinny ower, for ees nae a hardy loon,
I've a'thing in ees casey - sarks an semmities an socks -
an ither things he'll maybe need, I've staapit in a box!
Bit fit I'm here t' tell ye is, foo Robert likes ees maet,
for there's little ees o cookin stuff the crater winna ait,
noo, dinna get me wrang, he's nae a fashious loon t' feed,
bit this'll be a handy guide t' fit he'll likely need."

"A saft-bile't egg at braakfist-time, wi a buttery or a bap,
a cup o tay - weel sugared - an he likes a ginger snap,
he's far mair fond o porrich than he is o porrich oats,
bit canny fin ye mak them, for he disna like k-notts!
A skosky throu the yokin, wi a flask o lemonade
should keep 'im fine an happy or ye get the denner made,
bit, jist in case he's thinkin lang, an aipple or a peer
wid help tae keep the hunger pangs fae gettin ower severe!"

Noo, he likes a choice at denner-time - ye'll manage that, I hope?
a twa three roastit tatties, wi some chuckin or a chop,
an of coorse it's maist important that ye gie 'im plenty veg
t' keep ees plummin happy cause he's at the plooky stage!
Ye cwid tempt 'im wi some jeely for ees puddin, for a start,
an feenish up wi trifle, or a daad o aipple-tart,
he's partial kine t' custard, bit he canna go the skin,
an dinna gie 'im rhubarb wi't, for rhubarb gars 'im rin!"

(continued over)

"Supper-time's a caker, he's a "chips wi a'thing" chap,
gin ye wint t' keep 'im happy, gie 'im a' that he can stap,
an, jist afore ees bedtime, maybe biscuities an cheese?
Ye'll agree, noo, Mr Anderson, he's nae <u>that</u> ill-t'-please!"
"Weel, <u>that</u> my dear, I'm bound t' say, depends on yer pint o view,
bit eeve been mair nor frank wi me, so I'll be the same wi you,
at the fairm-toon o Cla-ma-croon, we canna match the Ritz,
so Robert, lat me tell ye, 'ill jist tak fit the hell he gits!"

The Futtret

(Song)

Wee Geordie, a countryman born an bred,
wis mair nor content wi the life that he led,
wi ees ferrets an snares, he wis kent far an wide
as the best rabbit trapper on Deveronside!
The locals for lang hid been tryin t' match 'im
an Annie, for ears, hid been tryin t' catch 'im,
bit coortin, t' Geordie, wis nae in ees plans
wi ees ferrets he felt he'd eneuch on ees hans!

Ae Saiterday nicht, comin hame b' the hall,
he wis teen wi the steer at the annual ball,
tho the do wis a function for collar an tie,
he decided t' hae a bit squintie in-by!
Wi tow roon ees legs t' block aff ony leaks,
he drappit ees ferret heid-first doon ees breeks,
it huntit aboot, till it saittilt wi ease,
in a spotty half-wye tween ees waist an ees knees!

Wi a bar in the hally, they'd a' hane a sup,
the fleer wis fair hobblin, near a'body wis up,
apairt fae fat Annie, the only waalflooer,
lik a twal-steen blin-lump lookin oot for a cure!
She'd been boostin er courage wi vodka an lime,
fin she spottit wee Geordie, an wastit nae time!
Afore he cwid dodge er or duck in aneth,
he wis intae er oxter, an fechtin for braith!

They sailed room the fleer t' a waltz-country-dance,
wi Geordie held ticht in the throes o romance,
bit the thocht o ees ferret wis weel t' the fore,
for wi pressure o yon kine, the crater cwid smore!
So he gave a bit shochle t' get it t' shift,
an wis thankfa fin sidewyes it startit t' drift.
It wis then that fat Annie lat louse wi a scraich,
as it crawled doon ees leg lik an achteen-inch flech!

Twa-hunner heids furled t' see fit wis wrang,
an Geordie, reed-faced, didna ken far t' gyang,
he didna see Annie lat louse wi a crack,
an the next thing he kent, he wis flat on ees back!
Amid the confusion and general row,
a han sneekit ower an loused the bit tow,
the weemin reactit lik rats up a spoot
wi a skirlin stampede fin the futtret cam oot!

Fin its feet got a grip on the slippery fleer,
it changed oot o second, an in t' top gear,
ignorin completely the skirled serenade,
it shot oot o sicht among boxed lemonade!
The weemin were a' at the windaes ootside,
an the vote wis unanimous - there they wid bide,
the band, fair enjoyin the braak fae the baal,
played "Pop goes the weasel", syne doubled twa-faal!

Bit Geordie recovered, an crawled in pursuit,
an, in nae time at a he hid trystit it oot,
bit as seen's it wis catched, he made aff doon the road
for fear that fat Annie wid up an re-load!
T' this day he gets raggit, an files there's a row,
bit he nivver discovered fa lowsed the bit tow,
an Annie, still keen on 'im, mony times quips,
"I wid feel mair secure gin ye'd bicycle clips!"

The Geet's First Crop

(Song)

He wis jist fower ear aul, an wi curls sae bra,
fin ees mither and father decreed they mun fa,
it hid got t' the stage far they cwidna define
gin ees hair wis mair fit for a loon or a quine!

So, on Saiterday mornin the geet set awa
wi ees han in a "nae-nonsense" grip fae ees pa,
ees hairty wis dirdin gyan in throu the door
for he'd nivver tried this kin o caper afore!

As gweed luck wid hae't, the barber's wis teem
an the loon saittled doon t' gape at the cream
an the bra-coloured bottlies o lotions an scent,
wi a fair disregard for the barber's intent.

Cockit up on a boord, ower the airms o a seat,
there wis jist the wee heid stickin oot o the sheet,
an innocent face in a little green tent,
bit, in aneth't a' he'd begun t' forment!

He wisna neen teen wi the wye he wis happit,
for it didna mak sense hae'in baith ees hans trappit,
wi sic an arrangement, there wis ae glarin fa'at,
gin ees nose wis t' kittle, fit wye cwid he claa't?

Noo, a'thing wis set for a favourable start
wi the barber weel warned t' steer clear o the wart,
he jist hid the een, that hid startit t' seed,
lik a blaeberry fair on the side o ees heid!

At the first canny contact, the geet gave a loup,
ees lippy gid doon, an he threatened t' coup,
syne he steekit ees teeth, an gid intae the huffs,
till the clippers were stottin, an taakin't in tufts!

(continued over)

Weel, there followed a stushie that tried them a' sair,
ye'd hae thocht that the loon hid been teen in a snare!
For he scraicht an he kicket half oot o the shawl
an glowert at them baith lik a stot in a faal!

The barber "tut-tuttit", bit stuck t' the job,
an pa stuck a lump o coo-candy in ees gob,
so, faced wi the option, t' cha or t' choke,
the geet, wi a snuffle, sat doon on ees dock!

Bit at last, wi a kyaave, the jobbie wis throu,
an the bairn got a skite o hair-ile on ees pow,
syne ees pa teen 'im hame wi a tit an a rug,
nae t' mention a half dizzen scoors roon the lug!

Bit iver sin syne, he's been badly in need
an he rins wi ees wart an ees tousily heid,
for he's nivver been back t' get aff ony mair
and he sweers he's nae gyan till, unless it gets sair!

Geordie's Lament

(Song)

There's a worthy fa plays in the Foondry-bar band
weel kent ower the length an the breadth o the land,
if ye dinna ken Geordie, I'll gie ye a clue,
he's the lad wi the spunk in the side o ees moo!
It's rumoured that Geordie, fae the day he wis born,
for a tit on a bottle hid nithing bit scorn,
an he widna tak milk, nor yon stuff oot o cans,
bit saittled instead, on a wee box o Swans!

CHORUS:
"Have you seen it, have you seen it, have you seen it, have you?
Have you seen Geordie Anderson's wee tooteroo?"

Noo, Geordie, weel kennin foo life can be cruel,
kept an eye on ees wee tooteroo, as a rule,
bit, ae day it happened, the thing he'd aye feared,
his favourite wee chanter it hid just disappeared.
Peer Geordie wis shattered, an reeled wi the blow,
he wis offered a new een, bit the answer wis "No!"
For t'wid need braakin-in, lik a weel-fittin shoe
an the aul een wis intae the set o ees moo!

CHORUS:

Weel, the news o the loss rendered a'body dumb,
bit that's nae the end o't, for worse wis t' come,
it wis obvious t' a' that it <u>must</u> be secured,
fin the news leakit oot that it wisna insured!

So the hunt spread t' Kirrie, t' Muchty an Keith,
for the wee tooteroo fae atween Geordie's teeth,
bit, despite coverin points north an sooth o the Tay,
the search yieldit nithin, t' Geordie's dismay!

CHORUS:

(continued over)

The decision wis teen t' get help throu the press,
in the hope o an answer t' Geordie's distress,
their response wis immediate, they answered the call,
bit their muckle great heidlines brocht nithing at all!
The public at large, fin they heard the sad news,
redoubled their efforts, an huntit for clues,
they searched ivery cranny, wi a toothcomb sae fine,
but, o Geordie's wee chanter, there wisna a sign!

CHORUS:

It wis shapin like stalemate, fin somebody said,
"Ye widna hae swaallied it, lyin in yer bed?"
So a doctor wis called, withoot further delay,
an he sent Geordie aff for a thorough X-ray.
Weel, they probe-it, in depth, his digestive canal,
an there, sure enough, wis his wee missin pal,
so, at length it wis rescued, tho it teen a gweed while,
for he jist couldna shift it withoot castor ile!

CHORUS:
"Have you seen it, have you seen it, have you seen it, have you?
For we've found Geordie Anderson's wee tooteroo!"

Road O The Travellin Man

(Song)

I wasn't surprised, when my father advised,
that the end of the road, it wis nearin,
for I well realised, that the ways I despised,
must replace the old ways, disappearing.
Tho I wasn't so clear on the course I would steer,
I settled on factory employment,
and for more than a year, I endured a career
entirely devoid o enjoyment!

CHORUS: How I tired o the grind, that I'm leavin behind,
for the settled-man's ways I can't follow,
wi the stag and the hind, I will seek peace o mind,
and a lifetime as free as a swallow.

From a city abode, I've returned to the road,
for the settled-life - oh! how it bored me,
I've a longing that's owed to the travellin man's code,
and my fore-fathers a' gane afore me.
How I've yearned for the space, and the wind in my face,
the chorus o birds in the mornin,
for a factory's no place, for the travellin race,
and my home is the hills I was born in!

CHORUS:

For it's here I belong, with the folks I'm among,
the remains o the clan, come to meet me,
and, to swing me along, there's the lilt o a song
and the cry o the curlew to greet me.
The city man's way, with its dirt and decay,
could never do other than bore me,
an in future I'll stay on the travellin man's way,
with the clear country air to blow o'er me.

CHORUS:

(continued over)

No hard and fast plan for the travellin man
with his back to the cities and highways,
just the way of the clan, since time it began,
and the old ways, the bold ways, are my ways.
For the life I intend, it will never depend,
upon signpost or arrow to guide me,
for my journey's end will be round the next bend
and nature alone will decide me.

CHORUS:

The Traivlin Mull

(Song)

A week afore the mull wis due, the mannie gid ees roons
t' organise a squaddie fae the neeperin fairmtoons,
at shaavin time an hairst time, there wis aye a fair bit hash
bit the croonin culmination cam the day we hid a thrash!
The mull cam hame the nicht afore, twis mair nor affin late,
an we plowtert in the gloamin gettin't levelled aff an set,
bit the mull lads, powkin here an there, got a'thing sortit oot
for a start the followin mornin or the men cam in aboot.

Fin eence they'd got er yokit, twis a satisfyin soon,
on a quaet day the hummin o't wis heard for miles aroon,
especially fin an antrin shafe gid doon in ae k-nott,
an she riftit oot a "Voomf", as it gid rummlin ower er throat!
The men fin gaithert in aboot, made fourteen o a crew
an were putten on t' hannil grain, t' fork or big a soo,
ae mull lad did the feedin, as the tither gid aroon
skitin ile on a' the furlin bits, t' keep er queelt doon.

The forkers' wark wis tirin, be it shaves or be it strae,
bit it wisna near as bad as humphin barley bags a' day,
half-quarter bags were a' designed for little else bit graft,
an they left ye shakky-leggit or ye'd humphed them t' the laft!
The laftie stairs aboot a toon hid aye a naisty lack,
they were awkward t' negotiate wi onything on yer back,
they were narra files, an nyeukit, bit b' far the biggest fla
wis the one-in-fower gradient gye near common t' them a'.

Fin we'd lowsed an got wir denner by, the men fae ither toons
for critical comparison set aff upon their roons,
they haikit here an they raikit there, gid this an that a powk,
for there's aye great fascination wi the gear o ither fowk!
Wi a'thing weel teen throu-han, they adjourned t' the barn
t' tak the waicht fae aff their legs, an swap the latest yarn,
bit they hidna lang t' l'iter, for the mull resumed at een,
so they spraalicht up an raxed themsels tae start the aifterneen!

Twa weemin at the lowsin kept the feeder weel supplied,
an a steady stoor o grain wis bein baggit-up an wyed,
bit the mannie, in attendance wi a speculative ee,
wis girnin aboot quality as weels the quantity!
Fin the rucks were by the easin,, vermin startit spewin oot
bit they jinkit oot o sicht again, wi bairns in haet pursuit,
little kennin that their hidey-holie widna laist for lang,
for there's nae a lot o shelter fin ye start the hinmaest gyang!

Fin she'd feenished, an got roadit, an the men hid worn awa,
an eerie kin o silence seemed t' settle ower a',
for the cornyard wis nyaakit, an the foons a' strippit clean,
jist a strae-soo, an a heap o caaf, t' show she'd ivver been!
The traivlin-mullie's noo defunct, she's fairly oot o grace,
an ye'll seldom see a gaithrin, noo, o fowk aboot a place,
for the modern mull's a combine, wi a steerin-wheel an gears,
bit there's files I think I hear 'er yet, a ghost o bygone ears!

A Sign O The Times

(Song)

Charlie bade b' imsel, in a ramshackle bucht,
on a nyaakit brae-face laid bare t' the drucht,
far he kept a fyow deuks an a litter o swine
an a half dizzen nowt, bit eneuch o the kine!
Lik ees nowt, ees machinery it wisna great dale,
he'd a wee Davy Broon near as aul as imsel,
she'd a pyocherin hoast she wis seldom withoot
an a chaaap fae er intimmers sair needin oot!

The place hid been rivven fae heather an funn,
some forty odd acre o marginal grun,
far rashes an tansies, as weel as k-napps
tried sair t' mak in roads an connach ees craps.
Twis a gye uphill trachle the wither made waar,
files druchtit an stewy, files widin in glaar,
an essentials were mony times short in supply
bit he tichint ees belt an aye seemed t' get by.

O modern conveniences, Charlie hid neen,
ees hoose wis peat-reekit, ees furniture deen,
he'd a wireless for company, an a tilly for licht,
an a muckle caaf-bed far he sleepit a'nicht.
Noo-in-an, for a bath, or for sweelin a sark
he'd t' pail waater in fae a waal in the park,
an Lord! Twis a thocht files, should nater require,
for the loo wis ootside at the gale o the byre!

"Hae ye nae hane eneuch o't?" fowk affin wid speer,
bit twis hard t' gie up fit he'd wrocht forty ear,
he wid puddle awa wi't as lang's he wis fit,
an he felt he'd an ear or twa left in 'im yet.
Bit aul age creepit on, he grew short in the step,
an, or lang, cwidna hannil a spaad or a graip,
till the placie, come time, wisna workit at a'
an wi naebody t' leave't till, he slippit awa!

Syvin ear his geen by since it last sa a ploo,
an I winner fit Charlie wid think o er noo?
For ees shifties are a' in a sorrowfa state
wi the hill claain back fit he'd eence rivven fae't!
Bit gin rumour be true, it'll nae be lang bare
an come time fowk'll nae even ken't hid been there,
for the forestry's bulldozed ees steadin an hoose
t' mak wye for the plantin o larrick an spruce.

We mun gyang wi the times if we wint t' survive,
the aul wyes are redundant fooiver we strive,
Charlie's aul-fashent methods are lang oot o date
in a world far we're socht t' grou mair an mair maet!
Is't a change for the better? - I'm nae gyan t' say,
for it's geen's the grain mountain, as weel as the spray,
it's time that'll tell gin they've gotten things richt
bit there's farrer t' fa fin ye flee a great hicht!

For The Wint O Education

(Song)

Some fowk, fin dee'in their schoolin, hiv nae bather taakin't in,
an syne there's ither fowk lik me, aye trailin on ahin,
for the wint o education, there wis nithing for't bit fee,
an I gid hame as orraloon t' Mains o Midden bree.

I sleepit in the chammer, an Jock Stronach shared my bed,
I'm sure he'd ootsize tonsils b' the rackit that he made,
for ees adam's aipple bobbit lik a futtret in a pyoke,
as he snore't an snochert throu ees sleep until twis time t' yoke!

The beast that did the orra-wark wis a knackert mear caa'ed Meg,
fin draa-in breath, she fussilt, an she hid a gammy leg,
in terms o actual value, fin ye bear in mine er state,
aboot fifty bob as corn-beef wid been the goin rate!

Fin pittin on er harness, files. she'd tak a great delight,
in wytin or my back wis turned, syne tryin t' tak a bite,
an, noo-in-an, or I won clear, fin muckin oot er sta,
she'd try an squash me up against the traiviss or the wa!

The wark wis gye monotonous, an it kept me on the trot,
fae yokin-time t' lowsin-time, there aye wis plenty o't,
fae pu'in neeps, an caa'in them, t' days o braakin muck,
an ony time that strae got ticht, we caa'ed an threesh a ruck.

I put corn throu the bruiser, an I forkit at the mull,
an hashed the young nowts' feed o neeps, an humphed them in a scull,
I gaithert steens, an scraapit dubs, bile't tatties for the swine,
an hackit tyeuch, k-notty sticks, t' please the kitchie quine.

On sleety days, fin pu'in kale, or reddin chokit drains,
twis then I'd wish, wi a' my hairt, that I'd been blessed wi brains,
or eneuch, at least, t' mak a move, an seek anither job,
for orra-wark's a weerin wye t' try an mak a bob.

(continued over)

For achteen month, I vrocht awa, an prospects lookit grim,
Lord kens, there's little future in lang days ahin a shim,
an there's little doot, withoot a change, that I'd hae up an moved,
bit the place becam mair mechanised, an gradually improved.

So, noo I'm mair contentit, an I think I've saittilt doon,
aul Meg, the meer, his been retired, noo I ca a Davy-Broon,
gie me anither month or twa, an I'll hae learned t' ploo,
syne I'll need a bigger bonnet than the een I hae eynoo!

An Aul Wye O Life Weers Awa

(Song)

I hid vrocht a sma craft ower a forty ear span
wi an antrin ca-tee fae a casual-man,
an I eekit a livvin fae a soor bit o lan
wi hard work an dour application.
Wi nae sin t' tak ower, I retired fae the braes,
t' a hoosie t' spen the fore-nicht o my days,
an tho files I gid back, wi my memories, t' gaze,
lang syne I lost a' inclination.

For the countryside change is a sorra t' see,
noo there's kyaarns o steens far the crafts eest t' be,
a reminder tae's a' that there's nae guarantee
for body, for beast or for biggin.
For fa wid hae thocht that in fifty odd ear,
sae mony sma placies wid a' disappear?
Wi the fowkies that fairmed them, flung far an near,
dispersed lik a lost generation.

CHORUS: Fareweel t' them a' for they've a' worn awa
an we're peerer the day for their passin.

The remains o the wa's are a covered wi moss
an dockins an nittles hiv collert each closs,
jist the stilts o a ploo keekin oot o the soss
gie a hint o their past occupation.
The wallies for weeds, noo, can hardly be seen,
bit, faithfa as ivver, they rin caul an clean,
yet they seem t' be wytin t' greet an aul freen
t' restore them t' past veneration.

(continued over)

Fin the advent o modern machinery began
a place, t' survive, needit mair an mair lan
so the crafties gid wye, an were a' teen in han
t' mak wye for the mechanisation.
Their dykes an their palins cam doon wi a yark
an their ditches were pipe-it for easier wark
syne their shifties were a' rummilt in t' ae park,
a featureless, modern creation!

CHORUS:

Noo there's lang rigs o crap far the crafties hid been
an, apairt fae the whirr o some deisel machine,
there's a hush ower the howe, nae a soul t' be seen,
it's the price o the modernisation.
An even the schoolie, far fowk lik wirsels,
made a start t' wir readin wir writin an scales,
sits barren o bairns, an bung foo o bales,
noo they a' get a toon education.

Hooiver, life's nae aye the wye we wid hae't
an if things hid steed still, we'd been a' oot o date,
bit altho we're entitled t' gyang oor ain gait,
the watchword should be - moderation!
For nae doot, wi new gadgets, inventions an gear,
we'll hae ass muckle change in the next fifty ear,
so far dis't a' eyne? Ye'd be temptit t' speer,
bit the answer wid be speculation.

CHORUS:

A Lifetime On The Lan

(Song)

I vrocht at Mains O Muckle Knowes, for the guts o forty ear,
an I watched the face o fairmin change, wi labour-savin gear,
bit progress his a price till't, an there's five o's noo awa,
for the place got ass sair mechanised, that there jist wis work for twa.

I gid hame t' Mains as orra-loon, the day I left the skweel,
an, ower the ears, I learned t' ploo, t' big a ruck, an dreel,
bit the implements that we used then, for copin wi the crap,
lie roostin in the corn-yard, or else they've geen for scrap.

For the tractor vrocht a major change on fairms through-oot the lan,
an the Clydesdale hid nae further place in agriculture's plan,
bit the advent o the combine, vrocht the biggest change o a'
an the binder, an the traivlin-mull, they baith gid t' the wa.

The stable an the cairt-shed's teem, nae even a pair o rines,
an nooadays, the chaamer's used for stowin odds an eynes,
there's nae need for a kitchie-deem, noo modern wyes prevail,
for ony jobs that's needin deen, the gweed-wife diz ersel.

I've been idle noo for achteen month, an adjustin till't is hard,
for time hings heavy on my hans, jist scutterin in the yard,
I thocht my job wid been secure, or as near's I'd ivver get,
an little did I realise, that this wid be my fate.

There's fowk that gyang t' foreign pairts, for fortune an for fame,
an, noo-n-an, I've rued the day I chose t' bide at hame,
fin I think o a' that micht hae been gin I'd teen the chances gyan
for I dinna hae a lot t' show for a lifetime on the lan.

Bit, gin I'd teen some ither road, forbyes the een I did,
wid I been ony better aff? - I winner gin I wid!
For, nae maitter foo we speculate, wi backward-cassin ee,
the maybe's, lik the micht-a-been's, were nivver meant t' be.
Aye, the maybe's, lik the micht-a-been's, were nivver meant t' be!

Fin the Binder's Laid-by

(Song)

Fin the last shafe wis in, an we'd feenished the rakin,
the rotation wis ready for startin anew,
we'd the binders laid-by, an hid seen t' the thaikin,
noo the stibbles were wytin the bite o the ploo.
The days they grew shorter as Winter cam creepin,
the win, fae the north, it wis racky an ra,
there wis kale t' be pu'ed, wi the blades o't aye dreepin,
for the nowt nott a feed as the girss wore awa.

The tatties were liftit, wi a squaddie t' gaither,
at first, they were willin, wi time for a crack,
bit, or nicht, they were nearin the eyne o their tether,
wi maist o them girnin o kinks in their back!
Fin the nowt were teen in, we'd t' pu neeps an caa them,
tho the dreels they were mony times beerit in sna,
an the neeps files as hard as they nowt cwidna cha them,
so they lay in the neep-shed until they wid tha.

At least eence a week, the aul mullie wis yokit,
a job we enjoyed on a coorse kin o day,
we'd thrash a fyow laid, till the barn it wis chokit,
t' ensure that the byllie hid plenty o strae.
Of coorse, there wis muck t' be caa'in an spreadin,
it yoamed an it steamed in the caul frosty air,
it wis back-braakin wark or the bogies were laidin,
for graft, there wis nae ither job cwid compare.

As Winter dragged on, we were sick o the kyaavin,
the wither gid a'bdy gweed reason to girn,
we got tee wi the ploo, syne wir thochts turned t' shaavin.
Maybe then, we'd be free o the clart an the kirn!
In the meantime, we'd dream o a fine, growthy mornin,
wi the peesies a' pairin, an strong on the wing,
o stew fae the harras fin pittin the corn in,
as Winter gid wye t' new life in the Spring.

Fin the Dyow's Aff the Grun

(Song)

The wither, fin it saittilt, wis the best we'd hane for weeks,
an the grieve he says "It's time ye lookit oot yer biggin-breeks,
an get up the morn's mornin wi the risin o the sun,
we'll get yokit t' the leadin fin the dyow's aff the grun.

CHORUS: Fin the dyow's aff the grun, fin the dyow's aff the grun,
we'll get yokit t' the leadin fin the dyow's aff the grun.

Fin mornin cam, the hash wis on, we a' prepared t' yoke,
the swaakist forks were wile't oot, wi clews o Glesgae-Jock,
the tractors nott their petrol an their parrafin as weel,
an aye as muckle crankin as ye nott a file t' queel,

CHORUS: As ye nott a file t' queel, as ye nott a file t' queel,
an aye as muckle crankin as ye nott a file t' queel.

Noo, jist in case the cornyard got connacht wi the weet,
the grieve aye threepit doon my throat the wye I hid t' dee't,
fin biggin rucks, the rulin aboot ony fairm-toon,
wis, aye hud up the hairtin, or they'll waater t' the foon.

CHORUS: Aye, they'll waater t' the foon, aye, they'll waater t' the foon,
ye mun aye hud up the hairtin, or they'll waater t' the foon.

We vrocht in strict rotation for t' hud the biggin gyan,
een teemin in the cornyard, een loadin on the lan,
an, as seen's I'd biggit on a lade, I hid a lookie roon,
t' check my ruck wis risin richt, an gie er a rakey-doon.

CHORUS: An gie er a rakey doon, aye, an gie er a rakey doon,
t' check my ruck wis risin richt, an gie er a rakey-doon.

(continued over)

The forkers on the lan were fresh, the shaves were fine an licht,
an the bigger on the bogies wis near beeriet oot o sicht,
fin he socht them t' slow doon a bit, t' lat 'im get ees win,
they answered "Damn the fear o't. Ye can aye tramp them in!"

CHORUS: "Ye can aye tramp them in, ye can aye tramp them in,
they answered "Damn the fear o't, ye can aye tramp them in!"

An so it gid, fae morn t' nicht, for twa three weeks on eyne,
We caa'ed at crap fae dawn t' dark, gin the wither it wis fine,
till the staapit cornyard teen on a sheltered, cosy air,
in contract t' the parks, a' lookin caal, bleak an bare.

CHORUS: Lookin caal, bleak an bare, lookin caal, bleak an bare,
in contrast t' the parks a' lookin caal, bleak an bare.

Noo, apairt fae paitricks scraichin fae their reest amon the neeps,
there's a silence hingin ower the howe, twa-hunner acre sleeps,
it's a sleep o short duration for the clippit, gowden view,
for, come the Spring, the stibbles'll be haapit wi the ploo.

CHORUS: They'll be haapit wi the ploo, they'll be haapit wi the ploo,
for, come the Spring, the stibbles'll be happit wi the ploo.

A Fee'd Man Looks Back

(Song)

In Spring, we feenished plooin, syne we startit braakin-in,
it hair'd up in nae time, gin it got a nicht o win,
the mannie hid a firm belief, that ony craap he grew,
twid aye be better beddit if the harras raised a stew!
Fin the nowt were oot t' grass again, an wi hyowin we were tee,
the faal got teemed an middint, an the hey wis next t' dee,
it lay in bouts for twa three days, wi rummils fae a rake,
syne, aifter it wis wun an dry, we cole't it in its wake.

Fin at length we'd gottin't ruckit, we got on t' second-hyow,
syne castin peats an settin them, gin wither wid allow,
we picket at the quarry for t' get a twa three load
o patchin for the pot-holes that were howkit in the road.
Afore abody kent it, we were roon t' reddin roads,
the craaps were ripe an ready, or as near as made nae odds,
the binders, greased an stored awa since last hairst's hinnereyne,
were riggit oot wi canvasses, wi blades an binder-twine.

The hairst cwid be a trachle gin the craps were rank an doon,
the binders chokit twinty times afore they'd geen a roon,
the shafers cwidna hannilt, it wid neither hud nor bin,
an they spewed it oot in divvots t' be gaithert in ahin.
Wi athing cut an stookit syne, an ready t' be led,
the wither connacht progress an twis stook-parade instead,
we wrestled wi the raivilt shaves t' try an gar them stan,
bit, bein rank an oot o shape, they mony times were thraan!

At ither times, on drabbly days, we cut an caa'ed at thaik,
fin biggin laids o rashes, it gid wallop roon yer neck,
bit, fin a' the crap wis ruckit, there wis aye the eyne reward,
for it fairly put the feenish on a bonnie cornyard!
Winter's wark wis wearisome, a gye monotonous hash,
it wis pu neeps, an ca neeps, an full the mull an thrash,
we caa'ed at muck, an spread it, an fin frost wis aff the grun
we oot an tirred the tattie-pit, an riddled twa three ton.

(continued over)

For stirkies, an for auler nowt, that hid a job t' chaa,
an antiquatit hasher wis the thing we hid t' caa,
an aggravatin jobbie gin the blades were waar o weer,
for, if the neeps were frostit, she gid stottin ower the fleer.
Bit fairm wark at that time, tho it hid its ups an doons,
hid far mair life an interest, than the modern fairm toons,
we're a' entitled t' wir views on far t' dra the line,
bit I'm gled I'm weel awa fae't, for the modern wye's nae mine!

A Feast Or A Famine?

(Song)

For as lang's I cwid mine, I hid fostered a cravin
tae tak a sma craft wi a decent bit lan,
an come time, the reward for my scraapin an savin
wis the doon-peymint nott fin a place cam tae han.
I vrocht day an nicht tae fulfill its potential
an gaither eneuch for the rent o a fairm,
wi the loon left the skweel, mair grun wis essential,
so it wis that we moved, tae Bogheid at the term.

Its twa hunner acre hid lang been neglectit,
in ivery depairtment run-doon an deprived,
we held on the lime an manure tae correct it
an it slowly, bit surely, respondit an thrived.
We caad aff the weeds an improved it in stages,
brook-in a bit hill, an teen on a fee'd man,
we reeve oot the funns, an the breem an the hedges,
as the government urged "Grou as muckle's ye can."

Come time, wi hard graft, an wi eident attention
as weel as the advent o new-fangilt gear,
the yield wis transformed tae a different dimension,
productivity risin wi each passin ear.
Bit a crisis wis loomin, the surplus wis soarin,
wi over-production ower half o the globe,
we were tellt tae cut back, wi the high cost o storin,
the fairmers, it seemed, were ower gweed at their job.

Noo a' ower the country, there's been a reduction,
wi parks set-aside tae grou nithin ava,
it's the short-term cure for the over-production,
tae sic times as the grain-mountain dwinnles awa.
Syne my thochts turn tae half the world facin starvation,
their craps insufficient for day tae day needs,
an it's hard tae see ony real justification
for leavin prime lan tae grou nithin bit weeds!

The foregoing Poems and Songs, with the exception of "The Festival O Keith", have all been recorded on the Ross Record Label, as follows:-

Cassette NO. CWGR 089

('TATTIES THROU THE BREE')

The Futtret
The Twa Budgies
The Twa Budgies' Second Meetin
Teethache
The Humble Tattie
"X" Marks The Spot
The Geet's First Crop
The Traivlin Mull
Lugs At The Fitba
An Aul Wye O Life Weers Awa
Feels On Wheels
A Fee'd Man Look Back
A Taste O Honey

Cassette NO. CWGR TV8

('A BRAND NEW BILIN')

The Dumplin
The Gale Warnin
A Lifetime On The Lan
It's A Sair Fecht
Lament For The Mini
The Lispin Leghorn
The Neep
Fin The Binder's Laid-By
The Skweel Sports
A Kittly Problem
The Langlife Recipe
The Wint O Education
Hame Comforts
The Awkward Ailment
Slippin Standards
Road O The Travellin Man

Cassette NO. CWGR 106

('TATTIES, MILK AN MEAL')

Aul Davy's Dra'ers
A Heavy Mail
Mither Tongue
Fin The Dyow's Aff The Grun
Egg On Ees Face
Look Afore Ye Loup
The Menu
A Sign O The Times
The Diagnosis
A Short Cut T' Siller
A Nod's As Gweed's A Wink
Jock Gets A Springclean

Cassette NO. CWGR 141

('ANITHER DREEL')

A Question O Mainners
Beatin The Budget
Green Fingers
A Feast Or A Famine
Matrimonial Bliss
Teen Short
The Gairdener's Medley
Hame Truths
The Conversation
Geordie's Lament
A Chaip Wye T' Traivil
Battle O The Bulge
A Question O Identity

*** The Festival O Keith was recorded on the Springthyme Label by Jim Reid and the Foundry Bar Band. The Cassette is called "On The Road With The Foundry Bar Band."